Харуки Мураками

村上春樹

神の子どもたちはみな踊る

ХАРУКИ МУРАКАМИ
ВСЕ БОЖЬИ ДЕТИ МОГУТ ТАНЦЕВАТЬ

Роман

Москва

ЭКСМО

2004

УДК 82(1-87)-3
ББК 84(5 Япо)
М 91

HARUKI MURAKAMI

KAMI NO KODOMO-TACHI WA MINA ODORU

Перевод с японского *Андрея Замилова*

Оформление и макет художника *Андрея Бондаренко*

Мураками Х.
М 91   Все божьи дети могут танцевать: Роман / Пер. с
яп. А. Замилова. — М.: Изд-во Эксмо, 2004. — 160 с.

ISBN 5-699-07264-0

...Сколько он танцевал, Ёсия не помнил. По-видимому —
долго. Он танцевал, пока весь не взмок. А потом вдруг ощутил себя
на самом дне Земли, по которой ступал уверенным шагом. Там
раздавался зловещий рокот глубокого мрака, струился неведомый
поток человеческих желаний, копошились скользкие насекомые.
Логово землетресения, превратившего город в руины. И это — всего
лишь одно из движений Земли. Ёсия перестал танцевать, отдышался
и посмотрел под ноги — словно заглянул в бездонную расселину...
    Последний сборник рассказов Харуки Мураками «Все божьи
дети могут танцевать» (2000) — впервые на русском языке.

УДК 82(1-87)-3
ББК 84(5 Япо)

ISBN 5-699-07264-0

— Лиза, что же такое было вчера?
— Было то, что было.
— Это невозможно. Это жестоко.

Ф.М. Достоевский, «Бесы»

Из радионовостей:
...У американских войск большие потери, но и со стороны Вьетконга — сто пятнадцать трупов.
— Как ужасно — оказаться неизвестным.
— О чем вы?
— Сто пятнадцать мертвых партизан — и только. Больше ничего. Ни о ком ничего не известно. Были у них жены и дети? Любили они кино больше театра? Ничего не известно. Только сто пятнадцать трупов.

Жан-Люк Годар, «Безумный Пьеро»

В Кусиро
поселился НЛО

Пять дней подряд она не отходила от телевизора. Молча всматривалась в руины больниц и банков, выгоревшие торговые кварталы, перерезанные автострады и железные дороги. Утонув в мягких подушках дивана, крепко поджав губы, не отвечала Комуре, когда тот заговаривал с ней. Даже не кивала и не мотала головой. И при этом было непонятно, слышит ли она вообще, что к ней обращаются.

Жена родилась в Ямагате, и, насколько было известно Комуре, не имела в окрестностях Кобэ ни родственников, ни знакомых. Но все равно с утра до вечера она не могла оторваться от телевизора. Ничего не ела, ничего не пила и даже не ходила в туалет. Только изредка давила на пульт — сменить программу — и больше не шевелилась.

Комура сам жарил в тостере хлеб, сам пил кофе и уходил на работу. А вернувшись, заставал жену в той же позе перед телевизором. Делать нечего: он готовил из оставшегося в холодильнике простой ужин и в одиночку его съедал. Потом засыпал, а она продолжала пялиться в экран ночных новостей. Ее окружал бастион безмолвия. Комура смирился и совсем перестал к ней обращаться.

Когда же спустя пять дней, в воскресенье он вернулся в обычное время с работы, жены и след простыл.

Комура работал продавцом в известном магазине радиотоваров на Акихабаре, отвечал за дорогую аппаратуру и к зарплате получал солидные комиссионные за каждую проданную систему. Среди клиентов — немало врачей, состоятельных бизнесменов и богачей из провинции. Восемь лет работал Комура на этой должности, и заработок с самого начала имел хороший. Экономика била ключом, росли цены на землю, Япония утопала в деньгах. Кошельки лопались от толстых пачек купюр, и казалось, что все не прочь ими посорить.

Стройный и ладный, со вкусом одетый и обходительный Комура в холостую пору имел немало подруг. Но, женившись в двадцать шесть, на удивление потерял вкус к сексуальным приключениям. Все пять лет после женитьбы спал лишь со своей женой. Не то что не возникало шанса — просто Комуру, если можно так выразиться, совершенно перестали интересовать случайные связи между мужчиной и женщиной. Его больше прельщало быстрее вернуться домой, неторопливо поужинать с женой, поговорить, развалившись на диване, затем нырнуть в постель и заняться любовью. Больше ничего и не нужно.

Стоило Комуре жениться, и все его друзья и сослуживцы так или иначе пожали плечами. По сравнению с его свежим и ухоженным обликом внешность супруги казалась более чем заурядной. И не только внешность: характер у нее тоже был не приведи господь. Малообщительная, вечно не в духе, невысокая, с пухлыми ручками... Выглядела она, сказать по правде, туповато.

Однако стоило Комуре — почему, он и сам не мог объяснить, — оказаться с женой под одной крышей, ему становилось непринужденно и комфортно. По ночам он сладко спал. Его уже не беспокоили странные кошмары. Хорошая эрекция, прочувствованный секс. Он перестал размышлять о смерти, венерических болезнях и просторах Вселенной.

Однако жена томилась от столичной суеты и хотела вернуться на родину. Скучала по оставленным там родителям и двум старшим сестрам. А когда становилось совсем невмоготу, в одиночку ездила к ним. Ее семья держала традиционную японскую гостиницу и жила в достатке. Отец до безумия любил свою младшенькую и с радостью снабжал ее деньгами на дорогу. Сколько раз уже так было: Комура, вернувшись с работы, не заставал жену, а на кухонном столе видел записку: «Поехала на время к своим». Он не возмущался, а безропотно ждал ее возвращения. Проходило семь или десять дней, и жена возвращалась в приподнятом настроении.

Но когда она ушла из дому через пять дней после землетрясения, в оставленной записке значилось: «Больше я сюда не вернусь». Далее следовало очень простое и четкое объяснение, почему она не хочет жить с Комурой:

«Проблема в том, что ты мне ничего не даешь, — писала жена. — Если точнее — в тебе нет ничего, что ты должен мне дать. Да, ты — нежный, внимательный, привлекательный, но жизнь с тобой — что со сгустком воздуха. Конечно, вина в этом не только твоя. Думаю, найдется немало женщин, способных тебя полюбить. Даже не стоит мне звонить. А все, что осталось моего, — уничтожь».

При этом не осталось практически ничего. Все: ее одежда, обувь и зонтик, кофейная кружка и фен, — все исчезло. Стоило Комуре уйти на работу, жена вызвала почтовую службу и, сгребя все в кучу, куда-то отправила. Из «ее вещей» остался только велосипед и несколько книг. С полки пропали почти все компакт-диски «Битлз» и Билла Эванса — коллекция Комуры еще с холостяцкой поры.

На следующий день он позвонил ее родителям в Ямагату. Ответила теща и заявила, что дочь с ним говорить не хочет. При этом она как бы извинялась. Говорила, что скоро ему придут документы, просила поставить в них печать и отправить как можно скорее обратно.

— Я понимаю, что нужно «как можно скорее», но дело ведь нешуточное — дайте подумать.

— Думай ты, не думай — ничего не изменится, — сказала теща.

Пожалуй, верно, решил Комура. Сколько ни жди, сколько ни думай, к прежнему возврата нет. Это он и сам понимал прекрасно.

Поставив печати и отправив бракоразводные документы обратно, Комура взял недельный отпуск. Начальник был в общих чертах наслышан, а февраль — для торговли сезон мертвый, поэтому он, не говоря ни слова, дал согласие. По лицу было видно: хотел что-то сказать, но не сказал.

— Говорят, в отпуск идете? — спросил в обеденный перерыв сослуживец по фамилии Сасаки. — Чем собираетесь заниматься?

И в самом деле, чем бы заняться?

Сасаки был младше Комуры на три года, к тому же — не женат. Маленький, с короткой стрижкой, в очках с круглой оправой. Балагур, немного заносчив, не все его любили, но в целом он неплохо ладил со спокойным Комурой.

— Раз уж такое дело, неплохо попутешествовать в свое удовольствие, что скажете?

— Ага, — буркнул Комура.

Сасаки протер платком линзы очков и посмотрел в лицо Комуре, словно хотел у него что-то выведать.

— Вам приходилось бывать на Хоккайдо?

— Нет, — ответил Комура.

— Хотите съездить?

— С чего это?

Сасаки прищурился и откашлялся.

— Сказать по правде, мне нужно передать одну маленькую вещицу в Кусиро. Вот бы неплохо, если б это смогли сделать вы. В долгу не останусь: с радостью оплачу ваш перелет в оба конца. Заодно договорюсь о ночлеге.

— Говоришь, маленькая?

— Примерно такая. — Сасаки очертил пальцами в воздухе куб сантиметров в десять. — И не тяжелая.

— Что-нибудь по работе?

Сасаки помотал головой:

— Ничего подобного. Стопроцентно частная передачка. Почтой отправлять не хочу — боюсь, с ней что-нибудь произойдет. Желательно передать с кем-нибудь из знакомых. По хорошему, нужно бы это сделать самому, но совершенно нет времени...

— Важная вещица?

Сасаки слегка скривил поджатые губы и кивнул:

— Можно не переживать, ничего хрупкого или горючего. Достаточно довезти и все. На досмотре в аэропорту никто не придерется. Она не доставит никаких

13

неприятностей. Просто у меня не лежит душа отправлять почтой.

На Хоккайдо в феврале наверняка холодно. Но Комуре это безразлично.

— И кому там передать?

— Моей младшей сестре.

Комура нисколько не думал о том, как провести время. Строить планы не хотелось и предложение он решил принять. Причин для отказа не нашлось. Сасаки сразу же позвонил в авиакомпанию и заказал билет до Кусиро. Вылет вечером третьего дня.

На следующий день на работе Сасаки передал Комуре маленькую коробочку в коричневой обертке, похожую на урну под прах. На ощупь, казалось, из дерева. Как и говорил Сасаки, почти ничего не весила. Поверх бумаги обмотана широкой и прозрачной клейкой лентой. Комура повертел коробочку в руках, слегка потряс — никакого звука.

— Сестра приедет встречать в аэропорт. Сказала, что непременно подготовит вам ночлег. Стойте на выходе в зале прилетов с коробкой в руках. Не беспокойтесь — аэропорт там небольшой.

Собирая вещи, Комура замотал коробку в смену белья и уложил в сумку. Самолет оказался намного полнее, чем он предполагал. Комура лишь качал головой, недоумевая, зачем стольким людям лететь посреди зимы из Токио на Хоккайдо.

Газеты по-прежнему пестрели статьями о землетрясении. Усевшись на место, Комура от корки до корки прочел утренний выпуск. Число погибших продолжало расти. Многие районы оставались без света и воды, люди лишились крова. Открывались факты один жутче другого. Однако в глазах Комуры все детали казались на удивление плоскими, без глубины. Все звуки доносились будто издалека, монотонным эхом. По-настоящему занимало его одно — мысли о жене, которая все больше и больше отдалялась от него.

Он механически пробежал глазами статьи о землетрясении, затем снова подумал о жене и опять уставился в статью. Утомившись думать и водить глазами по строкам, он задремал. А очнувшись, опять подумал о жене. С какой стати она так серьезно, с утра и до вечера, забывая о еде, следила за сообщениями о разгулявшейся стихии? Что она во всем этом видела?

В аэропорту Комуру окликнули две молодые женщины, одетые в пальто одинакового цвета и дизайна. Одна — с ухоженной бледной кожей, высокая, с короткой прической. У нее как-то странно выступала перемычка от основания носа к полной верхней губе — словно у короткошерстных копытных. Вторая девушка, ростом пониже, казалась вполне симпатичной, если бы не носпуговка. Волосы — прямые, до плеч, открытые уши, на мочке правого — две родинки: они бросались в глаза из-за сережек. Обеим женщинам, похоже, лет по двадцать пять. Они повели Комуру в кафе аэропорта.

— Меня зовут Кэйко Сасаки, — представилась та, что покрупнее. — Наслышана о вас от брата. А это моя подруга Симао.

— Рад познакомиться.

— Здравствуйте, — сказала Симао.

— Брат говорил, у вас недавно умерла жена? — Лицо Кэйко Сасаки стало соболезнующим.

— Да нет, не умерла, — после некоторой паузы откликнулся Комура.

— Как же? Брат позавчера так и сказал: мол, господин Комура на днях лишился супруги.

— Да нет же, просто развелся. Насколько я знаю, жива-здорова.

— Странно. Я не могла ослышаться, ведь это серьезно.

Похоже, перепутав факты, она расстроилась. Комура положил в кофе немного сахару и, бесшумно размешав, отпил глоток. Жидкость оказалась слабой и безвкусной. Даже не кофейная субстанция, а лишь ее символ. Комура удивился: «Постой, а что я здесь вообще делаю?»

— Нет, видимо, я все-таки ослышалась. Другого объяснения не нахожу, — несколько воспрянув духом, сказала Кэйко Сасаки. Затем глубоко вздохнула и слегка прикусила губу. — Извините за бестактность.

— Ничего страшного. По мне, так особой разницы нет — ушла и ушла.

Пока они разговаривали, Симао улыбалась и молча смотрела на Комуру. Похоже, он ей понравился — Комура понял это по всему ее виду и выражению глаз. Между ними повисла пауза.

— Первым делом я вам передам важный груз, — сказал Комура, расстегнул на сумке «молнию» и вынул из-под толстой футболки сверток. «Секундочку, я ведь должен был держать его в руках, — подумал он. — Это был сигнал. Как они поняли, что это я?»

Кэйко Сасаки протянула руки, приняла сверток и посмотрела на него без всякого выражения. Прикинула вес на ладони и, как накануне Комура, потрясла возле уха. Затем улыбнулась Комуре: мол, все в порядке — и опустила себе в сумку.

— Мне нужно позвонить. Ничего, если я отлучусь? — сказала она. Повесила сумку на плечо и направилась к телефону-автомату в углу. Комура посмотрел ей вслед: выше пояса тело ее оставалось жестким, лишь то, что ниже поясницы, двигалось плавно и механически. Наблюдая за ее походкой, Комура поймал себя на странной мысли: словно в памяти отчетливо прояснилась какая-то картина прошлого.

— Вам уже приходилось бывать на Хоккайдо? — поинтересовалась Симао.

Комура покачал головой.

— Верно. Путь неблизкий..

Комура кивнул и осмотрелся:

— Хотя... сижу я здесь и совсем не ощущаю, что уехал далеко. Странно даже.

— Из-за самолета. Из-за скорости, — сказала Симао. — Тело движется, а сознание за ним не поспевает.

— Может, и так.

— Хотелось съездить куда-нибудь подальше?

— Пожалуй.

— Как не стало жены?

Комура кивнул.

— Но как далеко ни уезжай, от себя не убежишь, — сказала Симао.

Комура рассеянно изучал сахарницу, но тут поднял взгляд на женщину.

— Да, ты права. Куда ни податься, от себя не убежишь. Как от тени. Всегда следует за тобой по пятам.

— Наверное, любили жену?

Комура уклонился от ответа.

— Так ты, значит, подруга Кэйко Сасаки?

— Да, мы с ней такие закадычные подруги!

— Какие — «такие»?

— Вы не голодны? — тоже ответила вопросом на вопрос Симао.

— Не знаю. Вроде бы да. А вроде и нет.

— Поужинаем втроем чем-нибудь горячим? Поешь горячее — и на душе теплеет.

Машину — полноприводную «субару» — вела Симао. Судя по состоянию, пробег у малютки был тысяч двести. На заднем бампере — глубокая вмятина. Кэйко Сасаки расположилась рядом с водителем, Комуре досталось тесное заднее сиденье. Ездила Симао неплохо, но сзади жутко громыхало, подвеска оказалась ни к черту, скорости переключались рывками, печка — и та грела как попало. Закрой глаза — и полное ощущение, что бултыхаешься в стиральной машинке.

В Кусиро снег не скапливался. Лишь беспорядочно, словно вышедшие из употребления слова, громоздились по краям дороги грязные мерзлые глыбы. Низко свисали тучи, для заката еще не время, но вокруг было совершенно темно. Рвя темноту, завывал ветер. Пешеходов почти не видно. Пустынный суровый пейзаж — казалось, замерзли даже светофоры.

— Для Хоккайдо здесь очень мало снега, — обернувшись, громко пояснила Кэйко Сасаки. — Город у моря, ветер сильный, снег не успевает скопиться, сразу все раздувает. Но холода здесь еще те. Прямо уши отваливаются.

— И если пьяный уснет на улице, то навсегда, — сказала Симао.

— А медведи здесь есть? — поинтересовался Комура.

Кэйко посмотрела на Симао и засмеялась:

— Кто-кто? Медведи?

Подруга тоже прыснула.

— Я совсем не знаю Хоккайдо, — попробовал оправдаться Комура.

— Кстати, о медведях, — начала Кэйко и, обернувшись к подруге, добавила: — Да же?

— *Очень* интересная история, — подхватила та.

Но разговор на этом оборвался, а Комура не отважился спросить, что же произошло с медведем. Вскоре приехали на место. Оказалось — в большой ресторан «рáмэн»[1] у дороги. Запарковали машину, сели за столик. Комура пил пиво, ел горячую лапшу. В помещении было грязно и пустынно, столы со стульями расшатанные. Но «рамэн» был очень вкусным, и доев, Комура действительно немного отошел.

— Как будете проводить время на Хоккайдо? — спросила Кэйко Сасаки. — Слышала, вы пробудете неделю?

Комура задумался, но так ничего и не придумал.

— Может, «онсэн»[2]? Хорошее место для отдыха. Здесь поблизости есть один — укромный и уютный.

— Неплохая мысль, — сказал Комура.

— Думаю, понравится. Хорошее место. Медведи там не водятся.

Женщины посмотрели друг на друга и вновь засмеялись.

— А можно поинтересоваться о супруге? — сказала Кэйко.

— Можно.

---

1 Рамэн — традиционная японская лапша. — *Здесь и далее прим. переводчика.*
2 Онсэн (*яп.*) — горячий источник.

— Когда она ушла?

— Через пять дней после землетрясения. Выходит, больше двух недель назад.

— Это как-то связано с бедствием?

Комура покачал головой:

— Пожалуй, нет.

— Вообще такие вещи где-то между собой да завязаны, — слегка склонив голову набок, возразила Симао.

— Просто вы сами об этом не знаете, — добавила Кэйко.

— Такое бывает, — продолжила Симао.

— Что бывает? — поинтересовался Комура.

— Ну в общем, — начала Кэйко, — среди моих знакомых был один такой человек.

— Ты о господине Саэки? — спросила Симао.

— Да... Живет здесь человек по фамилии Саэки. Лет сорок, косметолог. Его жена осенью прошлого года видела НЛО. Ехала ночью за городом на машине одна. А посреди поля опустилась эта самая тарелка. Бац! Как в «Близких контактах». А через неделю жена ушла из дому. Ладно бы проблемы в семье, а то ушла — и с концами.

— Больше не возвращалась, — добавила Симао.

— И что, причина в НЛО? — спросил Комура.

— Причина непонятна. Но однажды, бросив двух детей-школьников, женщина куда-то подевалась, даже записки не оставила, — сказала Кэйко. — Всю неделю перед исчезновением только и твердила о тарелке. Болтала без умолку, какая та была огромная, какая красивая...

Подруги ждали, пока услышанное не дойдет до Комуры.

— В моем случае записка была, — сказал тот. — Но не было детей.

— Ну тогда все гораздо легче, — заметила Кэйко.

— Дети — вот главное, — поддакнула Симао.

— Вон у Симао отец ушел из дому, когда ей было семь лет, — нахмурившись, пояснила Кэйко. — Сбежал с младшей сестрой ее матери.

— Ни с того ни с сего, — улыбнулась Симао.

Повисло молчание.

— Выходит, жена косметолога не ушла из дому — ее скорее всего забрали инопланетяне, — как бы сглаживая неловкость, прервал паузу Комура.

— Вполне возможно, — серьезно ответила Симао. — Мне такое часто приходится слышать.

— Или шла по дороге, и ее съел медведь, — сказала Кэйко, и они опять засмеялись.

Выйдя из ресторана, они втроем направились в ближайший «лав-отель». На городской окраине, казалось, сплошь чередовались лавки надгробий да «лав-отели». Симао заехала на стоянку одного. Странное здание — макет европейского замка, на крыше башенки развевается красный треугольный флаг.

Кейко получила у портье ключ, они втроем поднялись на лифте. Окно в номере было маленьким, зато кровать оказалась нелепо огромной. Пока Комура снимал пиджак, развешивал его на плечиках, ходил в туалет, женщины приготовили ванну, настроили освещение, проверили кондиционер. Затем посмотрели программу платного телевидения, пощелкали выключателями у кровати и заглянули в холодильник.

— Владелец тут — наш знакомый, — сказала Кэйко Сасаки. — Вот и приготовил самую просторную комнату. Как видите, «лав-отель», но думаю, вас это не смутит, правда?

— Нет, конечно, — только и ответил Комура.

— По сравнению с тесными и убогими бизнес-оте-лями у вокзала здесь куда лучше.

— Пожалуй.

— Как насчет ванны? Вода уже набралась.

Комура послушно зашел в ванную. Сама ванна та-кая широкая, что одному в ней как-то не по себе. По-стояльцы, видимо, принимают ванну вдвоем.

Когда он вышел, Кэйко Сасаки в номере уже не бы-ло, только Симао в одиночестве пила пиво перед телеви-зором.

— Кэйко уехала. Говорит, у нее дела. Приедет завтра утром. Можно я побуду здесь еще, попью пиво?

— Пожалуйста, — ответил Комура.

— Я действительно не мешаю? Может, вам хочется побыть одному? Или не можете успокоиться, пока кто-то есть рядом?

— Нисколько, — сказал он.

Комура пил пиво и сушил полотенцем волосы, а при этом вместе с Симао смотрел телевизор. Спецвыпуск но-востей о последствиях землетрясения. Повторяли те же кадры, что и обычно: покосившееся здание, развороченную дорогу, плачущую старушку, хаос и тихое яростное отчаяние. Однако едва пошла реклама, Симао щелкнула пультом, и экран погас.

— Раз уж мы вместе, поговорим о чем-нибудь?

— Хорошо.

— Только о чем?

— В машине вы обмолвились о медведе, — сказал Комура. — Что, интересная история?

— Ну да, медведь, — кивнула Симао.

— Можешь рассказать?

— Могу. — Симао достала из холодильника свежую банку пива и разлила по стаканам. — Немного скабрезная. Не обидитесь?

Комура покачал головой.

— Некоторым мужчинам не нравится.

— Я не из таких.

— Это со мной случилось. Поэтому как-то... немного стыдно.

— Хотелось бы услышать.

— Хорошо, если не возражаете.

— Я не против.

— Три года назад я поступила в женский колледж и встречалась с одним парнем. Он был старше меня на год и учился в университете. У меня с ним первый в жизни секс был. Как-то мы поехали вдвоем на самый север острова, в горы. — Симао глотнула пива. — Дело было осенью, в горах бродили медведи. Осенью они нагуливают перед спячкой жир и весьма опасны. Иногда нападают на людей. За три дня до того сильно пострадал один человек, поэтому всем местным раздали колокольчики. Обычные такие колокольчики. И сказали ходить по лесу, позвякивая. Мол, медведь поймет, что пришел человек, и не высунется. Медведи нападают на людей не потому, что хотят напасть. Они хоть и всеядны, но предпочитают растительную пищу. Трогать людей им смысла нет. Просто человек застигает их врасплох на их собственной территории, вот они и удивляются или сердятся и рефлекторно на него нападают. Поэтому если звонить, они сами будут обходить человека десятой дорогой. Понимаете?

— Понимаю.

— Вот мы и шли по горной дороге под звон колокольчиков. Вдруг в одном пустынном месте моему пар-

23

ню вздумалось... ну, позаниматься этим самым. Я тоже была не против. Мы свернули в заросли, чтобы нас не было видно, расстелили подстилку. Но я боялась медведей. Еще бы — что хорошего, если он вдруг нападет сзади, пока мы занимаемся сексом, и задерет нас. Кто захочет такой смерти? Ведь правда?

Комура согласился.

— Вот мы и занимались своим делом под такой перезвон — с начала и до самого конца. Динь-дон, диньдон...

— И кто в колокольчик звонил?

— По очереди. Устанет рука — поменяемся. Устанет еще — опять поменяемся. Такая дикость — заниматься любовью, тряся колокольчиком, — сказала Симао. — Даже теперь иногда как вспомню, смеюсь.

Комура хмыкнул. Симао захлопала в ладоши:

— Вот хорошо. Выходит, смеяться вы умеете.

— Конечно, — сказал Комура. Но, подумав немного, понял, что не смеялся уже очень давно. Интересно, когда же это было в последний раз?

— А можно я тоже приму ванну?

— Пожалуйста.

Пока она мылась, Комура смотрел, как громкоголосый комик вел развлекательную программу. Было нисколько не смешно, но кто в этом виноват — комик или он сам, — Комура понять не мог. Он только пил пиво и грыз орешки из мини-бара. Симао не выходила долго, но наконец появилась, укутанная в одно полотенце, села на кровать. Затем скинула полотенце и, как кошка, нырнула в постель. И посмотрела на Комуру в упор:

— Можно спросить, когда вы в последний раз были с женой?

— В конце прошлого декабря.

— И что — с тех пор ни разу?

— Ни разу.

— И больше ни с кем?

Комура закрыл глаза и кивнул.

— Думаю, сейчас — самое время сменить настроение и начать просто наслаждаться жизнью, — сказала Симао. — Разве не так? Завтра грянет новое землетрясение... Или похитят инопланетяне... Или сожрет медведь. Кто знает, что будет завтра?

— Кто знает, — машинально повторил Комура.

— Динь-дон, — сказала Симао.

После нескольких неудачных попыток Комура сдался. Такое с ним случилось впервые.

— Может, вы о жене думаете? — спросила Симао.

— Может, — ответил он. Но если по правде, голову его переполняли картины землетрясения. Будто слайды, один за другим появлялись и пропадали, появлялись и пропадали. Перекошенная автострада, пламя, дым, горы черепицы, трещины на дорогах. Он никак не мог отключиться от череды этих беззвучных кадров.

Симао прижалась ухом к его обнаженной груди.

— Бывает, — сказала она.

— Угу.

— Не обращай внимания.

— Стараюсь.

— Говоришь, а сам переживаешь. Эх, мужчины...

Комура молчал. Симао слегка сдавила его сосок.

— Ты говорил, жена записку оставила?

— Говорил.

— А что в ней было?

25

— Что жить со мной — что со сгустком воздуха.

— Со сгустком воздуха? — склонила она голову. — Что это значит?

— Думаю, отсутствие нутра. Внутреннюю пустоту.

— Что, ты в самом деле такой уж пустой?

— Может, и да. Не знаю. Но тогда кто мне скажет, что такое нутро?

— Действительно, если подумать — что такое нутро? — сказала Симао. — Моя мать страсть как любит шкурку кеты. Часто шутит, мол, состояла бы вся кета из одной шкурки. Выходит, иногда лучше, если нутра нет. Ведь так?

Комура представил кету из одной шкурки. Если предположить, что кета — из одной шкурки, то *именно она-то* и станет нутром кеты. Комура глубоко вздохнул. Голова девушки приподнялась и опять опустилась.

— Я не знаю насчет нутра, но ты — классный! Думаю, немало женщин могут понять тебя и полюбить.

— Это в записке тоже было.

— В записке жены?

— Да.

— Хм, — недовольно фыркнула Симао и опять приложила ухо к груди Комуры. Сережки коснулись его кожи, словно что-то чужое и секретное.

— Кстати, о коробке, что я привез, — вспомнил Комура. — Что там внутри?

— Интересно?

— До сих пор было нет, а сейчас, на удивление, — да.

— Когда — «сейчас»?

— Вот только что.

— Вот так вдруг?

— Поймал себя на мысли, и внезапно...

— Странно, с какой стати?

Комура задумался, уставившись в потолок:

— Действительно, с какой?

Какое-то время они прислушивались к вою ветра. Этот ветер примчался из неведомого Комуре места и дул в неизвестном Комуре направлении.

— Это была, — заговорила Симао тихим голосом, — твоя натура. Ты, сам того не зная, привез ее сюда и передал в руки Кэйко Сасаки. Обратно ее уже не вернешь.

Комура приподнялся и посмотрел девушке в лицо. Маленький носик и родинки на ухе. В глубочайшей тишине отчетливо слышалось биение сердца. Он повернулся и почувствовал, как скрипнули кости. Комура поймал себя на том, что едва сдерживает какой-то порыв к нечеловеческой жестокости.

— Это... шутка, — поймав взгляд Комуры, сказала Симао. — Просто на ум взбрело и я ляпнула. Плохая шутка. Не берите в голову, я не хотела обидеть.

Комура успокоился, обвел глазами комнату. И снова зарылся в подушку. Прикрыл глаза, глубоко вздохнул. Просторы кровати окружали его, будто ночное море. Слышались стоны леденящего ветра. Частые удары сердца отдавались в костях.

— Ну как, хоть немного чувствуешь, что ты уже далеко?

— Кажется, что *очень* далеко, — признался Комура.

Симао пальцем выводила на его груди замысловатые узоры — словно колдовала.

— И это — всего лишь начало...

Пейзаж с утюгом

Телефон зазвонил около полуночи. Дзюнко смотрела телевизор. Кэйсукэ в своем углу нахлобучил наушники и, прикрыв глаза, покачивая головой, играл на электрогитаре — видимо, пассажи оттачивал, так быстро бегали по струнам его пальцы. Звонка он не слышал. Трубку взяла Дзюнко.

— Уже спала? — как обычно, полушепотом проговорил Миякэ.

— Нормально, еще не ложились, — ответила Дзюнко.

— Я сейчас на берегу. Много бревен прибило. Получится что надо. Придешь?

— Хорошо, — ответила Дзюнко. — Только переоденусь и буду минут через десять.

Дзюнко натянула колготки, надела потертые джинсы, свитер с высоким воротом, сунула в карман пальто сигареты, за ними — кошелек, спички и брелок. Затем слегка толкнула ногой в спину Кэйсукэ. Тот испугался и поспешно стянул наушники.

— Пойду на берег жечь костер.

— Опять с этим Миякэ? — нахмурился Кэйсукэ. — Шуточки у тебя. На дворе февраль. Уже полночь. А она — на берег... костер...

— Я тебя насильно не тащу. Пойду сама.

Кэйсукэ вздохнул:

— Ладно, я с тобой. Подожди, я мигом.

Он выключил усилитель, натянул поверх пижамы брюки, надел свитер и задернул под самое горло замок куртки. Дзюнко повязала шарф и нахлобучила на голову шерстяную шапочку.

— Что ты нашла в этих кострах? Что в них интересного? — бормотал Кэйсукэ по дороге на взморье. Ночь стояла морозная, но без ветра. Откроешь рот и выдыхаешь заледеневшие слова.

— А что интересного в «Пёрл Джеме»? Сплошная какофония, — ответила Дзюнко.

— У «Пёрл Джема» миллионов десять поклонников во всем мире...

— А поклонники костров живут на свете уже пятьдесят тысяч лет.

— Это правда, — заметил Кэйсукэ.

— Не станет «Пёрл Джема», а поклонники костров останутся.

— Тоже верно.

Кэйсукэ вынул из кармана правую руку и обнял Дзюнко.

— Только вот что, Дзюнко... меня совершенно не интересует, что было пятьсот веков тому назад и что будет еще через пятьсот. *Совершенно!* Важно то, что есть сейчас. Кто его знает, сколько осталось до конца света. Кто, по-твоему, думает о будущем? Важно в настоящий момент от пуза поесть, и чтоб стоял. Разве нет?

Они взобрались по лестнице на мол и там же, где обычно, увидели фигуру Миякэ. Он стащил в одно место выброшенные на берег коряги всевозможных форм и осторожно составлял их в кучу. Среди плавника затесалось одно толстое бревно. Дотащить его сюда, види-мо, оказалось делом нелегким.

В лунном свете береговая линия выглядела краем отточенного лезвия. Зимние волны на удивление бес-шумно омывали песок. Вокруг — ни души.

— Ну как, много? — облаком белого пара выдохнул Миякэ.

— Еще бы! — воскликнула Дзюнко.

— Да, иногда набирается. На днях был неслабый шторм. Стоит только чаек послушать: «Сегодня славных дровишек нанесет».

— Хорош хвастаться, давайте греться. А то в такой холод все мое хозяйство сведет, — сказал Кэйсукэ, по-тирая руки.

— Погоди, не гони. В этом деле главное — порядок. Первым делом все рассчитать, проверить, не упустил ли чего, а уж потом не спеша поджигать. Засуетишься — ничего хорошего не выйдет. Поспешишь — людей на-смешишь.

— Ага, не суетись под клиентом.

— Молод еще такие шуточки отпускать, — покачал головой Миякэ.

Толстое бревно и несколько обломков он искусно со-ставил в какую-то авангардную скульптуру. Потом ото-шел на несколько шагов, внимательно осмотрел конст-рукцию, что-то поправил, опять подался назад и окинул бревна внимательным взглядом — и так несколько раз, как обычно. Видя, как сложены дрова, он наглядно пред-ставлял, как они будут гореть. Так же скульптор, глядя на камень, видит сокрытую в нем фигуру.

Наконец бревна приняли нужное положение, и Ми-якэ кивнул самому себе: «Теперь другое дело!» Затем

33

свернул и засунул под самый низ припасенную газету. И зажег огонь обычной пластмассовой зажигалкой. Дзюнко достала из кармана сигарету, сунула ее в рот и чиркнула спичкой. Прищурившись, она уставилась в спину Миякэ, на его лысеющий затылок. Вот самый напряженный момент. Разгорится или нет? И как будет полыхать дальше?

Двое молча всматривались в гору бревен. Огонь охватил газету, она исчезла в пламени, но вскоре вся почернела и потухла. И больше ничего. «Не получилось, — подумала Дзюнко. — Видимо, бревна слишком сырые».

Она уже было отчаялась, но тут вверх потянулась жилка белого дыма — верный знак огня. Ветра не было, и дымок поднимался вверх сплошной тонкой струйкой. Где-то загорелось, но где — пока не видно.

Никто ничего не говорил и даже Кэйсукэ закрыл рот. Он сунул руки в карманы, Миякэ присел на корточки, а Дзюнко скрестила руки на груди и лишь иногда, как бы вспоминая о сигарете, затягивалась.

Как обычно, Дзюнко думала о «Костре» Джека Лондона. Рассказ о том, как человек где-то в глубине Аляски пытается развести огонь. Не разведет — замерзнет насмерть. А солнце клонится к горизонту. Вообще Дзюнко читала мало, но эту книгу, заданную на летние каникулы, перечитала несколько раз. Вся сцена живо и естественно вставала у нее перед глазами. Биение сердца, страх, надежду и отчаяние человека на краю гибели она чувствовала так, будто это происходило с ней самой. Но важнее всего в истории — то, что человек *на самом деле* искал смерти. Она это знала. Причину объяснить не могла, но с самого начала понимала это. Путник на самом деле жаждал смерти. Он *знал*, что это

34

для него — подходящий конец. Но несмотря ни на что, боролся изо всех сил. Чтобы выжить, ему предстояло побороть превосходящего противника. Дзюнко до глубины души потрясло именно это принципиальное противоречие где-то в середине рассказа.

Преподаватель высмеял ее мнение. С удивлением спросил: «С какой это стати герой ищет смерти? Что-то новенькое. Весьма и весьма оригинально». Отрывок из сочинения Дзюнко он зачитал вслух, и весь класс засмеялся.

Но Дзюнко знала точно. Ошибаются они все. Ведь если это не так, почему концовка у рассказа — такая тихая и красивая.

— Кажется, погас? — робко поинтересовался Кэйсукэ.

— Все в порядке, нет. Силу набирает, сейчас разгорится. Дым ведь не прекращается? Как там говорится: «нет дыма без огня».

— Без крови не стойт.

— Тебе что, не о чем больше подумать? — удивился Миякэ.

— Вы что, серьезно знаете, что огонь не погас?

— Знаю. Сейчас раз — и вспыхнет.

— Интересно, где вы набрались этих премудростей?

— Какие там премудрости. Научился, когда мальцом был бойскаутом. Что-что, а костер разводить там не хочешь — а научат.

— Ого, — воскликнул Кэйсукэ, — выходит, бойскаутом были?

— Не только от них, конечно. Видимо, есть какой-то дар. Ну то есть — я развожу костры лучше обычных людей.

35

— Интересное умение, но денег за него не выручишь.

— Этот точно, денег не выручишь, — улыбнулся Миякэ.

Как он и предсказывал, вскоре в глубине показалось пламя. Начали потрескивать дрова. Дзюнко с облегчением перевела дух. Теперь уж точно беспокоиться нечего. Костер разгорается. Еще немного, и они втроем протянут к нему замерзшие руки. Некоторое время делать ничего не нужно, достаточно лишь следить за огнем, набирающим силу. «Пятьсот веков назад древние люди, пожалуй, грели руки у огня с таким же настроением», — подумала Дзюнко.

— Вы, кажется, говорили, что родом из Кобэ? — как бы внезапно вспомнив, спросил Кэйсукэ. — Как, никто из родственников не пострадал?

— Даже не знаю. У меня ни с кем уже не осталось ничего общего. Дело давнее.

— Давнее — недавнее, а акцент ничуть не слабее.

— Что, правда? Сам я как-то не замечаю.

— Если это не кансайский акцент, тогда по-каковски я сейчас говорю, да?

— Не умеешь говорить на кансайском диалекте — не берись. Еще не хватало, чтоб его коверкали люди из Ибараки. У вас куда лучше выходит гонять с флагами на мотоциклах[1]... когда урожай соберете.

— Ничего себе, тихоня Миякэ, а за словом в карман не лезет. Нехорошо — чуть что обижать простодушных

[1] Речь идет о т.н. «босодзоку» — членах группировок, устраивающих пробки на дорогах, разъезжая с флагами за сиденьями мотоциклов и мопедов.

пиплов Северного Канто[1], — сказал Кэйсукэ. — А если серьезно, с ними все в порядке? Наверняка, кто-то остался. Вы как, новости смотрите?

— Давай не будем, — прервал его Миякэ. — Хлебнешь виски?

— Не откажусь.

— А ты, Дзюн-тян?

— Немножко.

Миякэ вынул из кармана кожаной куртки тонкую металлическую флягу и передал Кэйсукэ. Тот открутил крышку и, не прижимая к губам, залпом глотнул.

— Хорошо! — крякнул он, переводя дух. — Однозначно «сингл молт», двадцать один год выдержки. Бочка — дубовая, слышится шотландский прибой и дыхание ангелов.

— Дурень, не мели чушь. Обычный «Сантори» из квадратной бутылки.

Дзюнко взяла фляжку у Кэйсукэ и налила в крышечку, а потом сделала несколько крохотных глотков, словно лакая. Немного скривилась, чувствуя, как теплая жидкость перетекает из пищевода в желудок. По телу заструилось тепло. Выпил и Миякэ, затем опять передал флягу Кэйсукэ, и тот не заставил себя ждать. Пока фляга кочевала из рук в руки, огонь разгорелся, превратившись в настоящий костер. Но не быстро, постепенно, как и замышлял Миякэ. И в этом была его прелесть. Пламя расширялось мягко и нежно. Как выверенные ласки, неспешно и очень аккуратно. Это пламя — для того, чтобы согревать сердца людей.

---

1 Кансай — второй по величине район страны, куда входят города Кобэ, Осака, Киото. Северный Канто — несколько префектур к северу от столицы Токио, одна из которых — Ибараки.

Как всегда, стоя перед костром, Дзюнко умолкала. Она лишь изредка меняла позу, но больше не шевелилась. Это пламя молчаливо принимало разные предметы, поглощало их и, казалось, прощало. «Как и должно быть в настоящей семье», — думала Дзюнко.

Она приехала в этот городок префектуры Ибараки в мае выпускного класса. Сняла с книжки отца триста тысяч иен, набила сумку «бостон» одеждой, сколько поместилось, и ушла из дому. Уехала с вокзала своего города Токородзава, сменила несколько поездов и оказалась в Ибараки — маленьком городке на побережье. О нем она прежде и не слыхивала. В первом попавшемся агентстве недвижимости сняла однокомнатную квартирку и уже со следующей недели начала работать в круглосуточном магазине возле оживленного шоссе. Написала матери: «Не беспокойся — я жива и здорова. И не ищи меня».

Она не хотела больше ходить в школу и не могла видеть своего отца. В детстве Дзюнко с ним ладила. По выходным они часто путешествовали. Держа его за руку, она чувствовала силу и гордость. Но когда к концу начальной школы у нее начались месячные, на лобке выросли волосы и округлилась грудь, отец стал посматривать на нее каким-то странным взглядом, невиданным прежде. А к пятнадцати годам она вымахала до ста семидесяти сантиметров, и отец вовсе перестал к ней обращаться.

Похвастаться успехами в школе она тоже не могла. Переходя в среднюю школу, была в классе лучшей, а к концу года переместилась в самый низ списка. В старшую поступила кое-как. И с головой все в порядке, вот только рассеянная. Ни одно дело до конца не доводила.

Пытается собраться, как вдруг начинает болеть голова, спирает дыхание, сбивается пульс. Учеба в школе превратилась в сплошное мучение.

Не успев толком обжиться в новом городке, она познакомилась с Кэйсукэ. На два года старше, он слыл умелым сёрфером, был высокого роста, красил волосы в каштановый цвет и обнажал в улыбке ровные зубы. Городок этот славился своей волной, вот парень и остался здесь жить, играл с приятелями в рок-группе. Поступил во второсортный институт, но на занятиях не появлялся, и диплом получить ему не светило. Его родители держали в Мито, центре префектуры, известный магазин сладостей, и он в крайнем случае мог унаследовать от них дело, но становиться владельцем кондитерской ему совершенно не хотелось. А хотелось лишь гонять с приятелями на грузовичке «дацун», ловить волну да играть на гитаре в любительской группе; но как ни крути, до бесконечности длиться такая жизнь не могла.

Дзюнко подружилась с Миякэ после того, как стала жить с Кэйсукэ. Миякэ было лет сорок пять, худощавый мужчина в очках. Продолговатое лицо, короткие волосы, густая борода — вечером его как бы покрывала темная тень щетины. Он носил свободную рубаху навыпуск, поверх хлопковых брюк, на ногах — белые поношенные кроссовки. Зимой сверху надевал мятую кожаную куртку, иногда нахлобучивал бейсбольную кепку. Дзюнко не видела его в другой одежде, но то, что он носил, выглядело тщательно выстиранным.

В маленьком городке на взморье Касима других людей, говорящих на кансайском диалекте, не оказалось, и Миякэ невольно обращал на себя внимание. Работавшая вместе с Дзюнко девушка сказала, что этот человек снимает поблизости дом, живет один и пишет картины. «Никакая он не знаменитость, никто его картин никогда не видел, но живет — как все, значит, что-то делает. Иногда ездит в Токио за рисовальными принадлежностями, но вечером возвращается. Сколько он уже здесь живет? Лет пять? Часто жжет на взморье костры. Судя по всему, нравится ему это. Это у него в глазах — увлеченность такая. Молчаливый, немного странный, но совсем не плохой».

Миякэ трижды в день заглядывал в магазин. Утром покупал молоко, хлеб и газету, днем — бэнто[1], а вечером — холодное пиво и что-нибудь к нему. И это повторялось изо дня в день. Как по часам. Только здоровался, а так почти не разговаривал, но Дзюнко к нему как-то естественно потянуло.

И вот однажды утром, когда в магазине больше никого не было, Дзюнко набралась смелости и поинтересовалась:

— Я понимаю, что вы живете поблизости, но почему каждый день приходите за такими покупками? Разве не проще купить молоко или пиво с запасом и поставить в холодильник? Разве так не удобней? Конечно, я — простой продавец и мне, в принципе, все равно...

— Так-то оно, конечно, лучше — покупать впрок, но есть причины, по которым я этого не делаю.

— Интересно, почему?

— Как бы это сказать... Сущие пустяки.

— Извините, что я со своими вопросами. И не подумайте ничего такого. Просто если я чего не знаю, не могу сдержаться, чтобы не спросить. Я это не со зла.

---

1 Состоящий из разных мелких блюд и риса комплексный обед.

Немного помедлив, Миякэ покачал головой — казалось, смущенно.

— У меня, если по правде, и холодильника-то нет. Не люблю я эти холодильники.

— Я тоже к ним особой привязанности не ощущаю, — засмеялась Дзюнко, — но один у меня все-таки есть. Без холодильника — оно как-то неудобно.

— Может, и неудобно, но что поделаешь — не могу я спокойно спать в местах, где есть эти самые холодильники.

Какой он странный, подумала Дзюнко, но после этого разговора Миякэ заинтересовал ее еще больше.

Через несколько дней, прогуливаясь по взморью, она увидела, как Миякэ разжигает в одиночку костер. Небольшой костерок из плавника. Дзюнко не сдержалась, подошла к мужчине и протянула к костру руки. Стоя рядом с ним, девушка поняла, что она сантиметров на пять выше. Они коротко поздоровались, а потом лишь молча смотрели на огонь.

И тут впервые случилось вот что: стоило Дзюнко всмотреться в языки пламени, как она *что-то* почувствовала. *Что-то очень глубокое.* Какой-то сгусток настроения. Что-то слишком живое, с реальным весом, чтобы назвать это идеей. И вот это самое оно медленно пронизало все ее тело и исчезло, оставив в груди лишь щемящее чувство чего-то очень милого сердцу. А когда и оно исчезло, какое-то время с ее рук не сходила гусиная кожа.

— Миякэ-сан, вам, глядя в костер, ничего не кажется странным?

— Ты о чем?

— То, чего мы не ощущаем в обычной жизни, вдруг начинает казаться живой реальностью. Как бы это правильно сказать?.. У меня голова толком не варит, поэтому словами выразить не могу. А вот смотрю на огонь, и почему-то становится спокойно.

Миякэ задумался.

— Форма огня — свободная. А раз свободная, каждый сам решает своим сердцем, что в нем увидит. Тебе становится спокойно — значит, живущее в тебе спокойствие просто отражается в огне. Понимаешь, о чем я?

— Угу.

— Но это не значит, что так происходит с любым огнем. Огонь для этого должен быть свободным. В газовом обогревателе такое никак не возникнет. И в зажигалке тоже. Как и не в каждом костре. Чтобы огонь стал свободным, нужно найти место, где он может стать свободным. А это под силу не каждому.

— Но вам-то под силу?

— Бывает — выходит, бывает — и нет. Но чаще всего выходит. Если вкладывать душу — получается.

— Так вам нравится костер?

Миякэ кивнул:

— Прямо болезнь какая-то. Выходит, что я поселился в этом городишке потому, что сюда выносит бревен больше, чем куда-либо еще. Вот и вся причина. Приехал сюда, чтобы жечь костры.

С тех пор Дзюнко по возможности приходила, когда Миякэ жег костры. За исключением пика летнего сезона, когда на пляже допоздна было битком, Миякэ жег свои костры. Бывало — пару раз в неделю. Бывало не жег и по целому месяцу. Решение зависело от того, сколько набиралось дров. Но в любом случае, собираясь разводить костер, он непременно звонил Дзюнко. Кэй-сукэ, подтрунивая, называл его «твой костровой френд». Обычно непомерно ревнивый, он почему-то доверял одному лишь Миякэ.

Огонь перекинулся на самое большое бревно, пламя уже успокоилось. Дзюнко уселась на песок и, сомкнув губы, пристально смотрела на пылающую стихию. Миякэ, орудуя палкой, не давал пламени умереть. Время от времени подбрасывал припасенные дрова в нужное, на его взгляд, место.

— Что-то у меня живот разболелся, — пожаловался Кэйсукэ. — Как-то продуло, что ли. На горшок бы — тогда отпустит.

— Если хочешь, иди домой, — ответила Дзюнко.

— Пожалуй, стоит, — жалко промямлил Кэйсукэ. — А ты?

— Я провожу Дзюн-тян до дому, не переживай за нее, — сказал Миякэ.

— Ну тогда ладно. — И Кэйсукэ попрощался.

— Дурак он, — сказала Дзюнко, когда он ушел, и покачала головой. — Сначала набирается, а потом болеет.

— Так-то оно так, Дзюн-тян: плохо тем, кто с юных лет с головой не дружит. Никчемные люди. Но у него есть свои достоинства.

— Может, и так. Только он, кажется, ни о чем не думает.

— Молодежь вообще за словом в карман не лезет. О чем говорят — совсем не думают.

Они опять примолкли, думая каждый о своем. Время текло по-разному.

— Миякэ-сан, меня один вопрос волнует. Ничего, если спрошу?

43

— Что именно?

— Личное. Щекотливое.

Миякэ несколько раз провел ладонью по щетине на щеке.

— Не знаю. Но раз уж спрашиваешь — спрашивай.

— У вас есть же где-то жена, правда?

Миякэ вынул из кармана куртки флягу, открыл крышку и неторопливо допил оставшееся виски. Завинтил крышку и убрал флягу в карман, после чего посмотрел в лицо Дзюнко:

— С чего тебе это вдруг в голову взбрело?

— Совсем не вдруг. Просто подумала... когда Кэйсукэ завел разговор о землетрясении... я посмотрела на ваше лицо. Глаза людей, следящих за костром, — правдивые. Вы же сами когда-то мне это говорили.

— Разве?

— И дети есть?

— Да. Двое.

— В Кобэ?

— Там — дом. Пожалуй, там и живут.

— В каком месте?

— Район Хигасинада[1].

Миякэ прищурился, перевел взгляд на море, затем снова посмотрел в огонь.

— Не называй Кэйсукэ дураком. Не нам его судить. Я вот, например, и сам ни о чем не думаю. Прямо Король Дураков. Понимаешь?

— А больше ничего рассказать не хотите?

— Нет, не хочу.

— Ну и ладно, — сказала Дзюнко. — Но я все равно думаю, что вы человек хороший.

[1] Район наибольших разрушений в февральском землетрясении 1995 года.

— Проблема не в этом, — покачал головой Миякэ. Концом палки он чертил на песке узор. — Ты, Дзюнтян, когда-нибудь задумывалась о своей смерти?

Дзюнко, помедлив, покачала головой.

— А я вот частенько.

— И как вы собираетесь умереть?

— Замерзну в холодильнике. Приходилось о таком слышать? Когда дети играют и забираются в выброшенный холодильник, дверца захлопывается, и они там задыхаются. Вот такой вот смертью.

Разметав пепел, обвалилось большое полено. Миякэ смотрел на него и ничего не делал. Отблески пламени бросали на его лицо нереальные тени.

— Потихоньку, постепенно умирать в тесном и темном месте. Ладно бы задохнуться, но не так все просто. Откуда-то из щели проникает воздух, поэтому задохнуться не получается. Чтобы умереть, потребуется еще немало времени. Кричи не кричи — никто не услышит. Никто не хватится. И так тесно, что не пошевелиться. Как ни пытайся, дверца не открывается.

Дзюнко молчала.

— Сколько раз я видел один и тот же кошмар. Просыпаюсь посреди ночи весь в поту. И всегда умираю во сне — в кромешной тьме, жуткой и медленной смертью. Просыпаюсь, но кошмар не уходит. И это в нем самое страшное. Открываю глаза — горло ссохлось. Иду на кухню, открываю холодильник. Естественно, холодильника у меня нет, поэтому я должен понимать, что это — сон. Но в тот момент про это совсем не помню. Продолжаю думать: что-то тут не так, — и открываю дверцу. А внутри — кромешный мрак. Лампочка погасла. Думаю про себя: неужели свет отключили, — и засовываю внутрь голову. Вдруг изнутри высовывается рука и хватает меня за шею. Чувствую — рука мертвеца. И вот эта самая рука тянет меня своей нечеловеческой силой внутрь. Я ору что есть силы и просыпаюсь по-настоящему. Такой вот кошмар. Постоянно один и тот же. Все одно к одному. И всегда до ужаса страшный.

Миякэ ткнул палкой в бревно, вернув его на прежнее место.

— Настолько реальный, что мне кажется — я умер уже несколько раз.

— И давно он снится?

— Даже не вспомню. Вот как давно. Иногда я от него избавлялся. Год... или около двух не видел ни разу. Тогда мне казалось, что все так и будет идти своим чередом, но потом кошмар возвращался. Стоило решить, что я от него избавился, теперь все будет в порядке, как он начинался заново. И все по-старому. И никуда не деться. — Миякэ покачал головой: — Извини, Дзюн-тян, что я наговорил тебе такой жути.

— Да ладно, — ответила девушка, сунула в рот сигарету и чиркнула спичкой. Затянувшись, коротко сказала: — Расскажите...

Костер догорал. Все припасенные бревна уже давно пылали. Казалось, прибой стал громче прежнего.

— Есть такой американский писатель Джек Лондон.

— Который написал рассказ о костре?

— Точно. Откуда знаешь? Так вот, он долго думал, что утонет в море. Верил, что умрет именно такой смертью. Упадет в ночное море, да так и утонет, и никто этого не заметит.

— И что, он так и умер?

Миякэ покачал головой.

— Нет, морфием отравился.

— Выходит, его предчувствие не сбылось? Или он специально сделал так, чтобы оно не сбылось?

— Внешне, — сказал Миякэ. Повисла пауза. — Но в каком-то смысле он не ошибся. Он утонул, оставшись в одиночестве в темном ночном море. Стал алкоголиком, позволил отчаянию пронизать все его тело. Умирал мучительно. Предчувствие — это своего рода подмена. Иногда оно превосходит реальность и становится чем-то живым. И в этом главная опасность предчувствия. Понимаешь?

Дзюнко задумалась. Она не понимала.

— Я раньше не задумывалась о своей смерти. Как думать о ней, если я толком не знаю, как жить?

Миякэ кивнул.

— В этом ты права. Но бывает, когда наоборот — от выбора смерти открывается дорога жизни.

— И ваша дорога такая?

— Не знаю. Иногда так кажется.

Миякэ присел рядом с Дзюнко. Он словно бы осунулся и постарел. Над ушами торчали нестриженые волосы.

— Какие вы рисуете картины?

— В двух словах не объяснишь.

Дзюнко спросила иначе:

— Хорошо, тогда что вы рисовали в последнее время?

— Три дня назад закончил «Пейзаж с утюгом». Посреди комнаты стоит утюг. И больше ничего.

— А почему это трудно объяснить?

— Потому что это на самом деле не утюг.

Дзюнко посмотрела в лицо мужчины.

— Что ж, выходит, утюг — не утюг?

— Именно.

— В смысле — какая-нибудь подмена?

— Пожалуй.

— И он лишь нарисован вместо чего-то другого?

Миякэ кивнул.

Дзюнко подняла голову к нему: звезд видно стало намного больше. Луна уже прошла долгий путь. Миякэ кинул в огонь последнюю корягу, которую до сих пор держал в руках. Дзюнко мягко привалилась к его плечу. Одежду Миякэ пропитывали запахи сотен разных костров, и Дзюнко неспешно втягивала их в себя.

— Знаете, что?

— Что?

— Я совсем пустая.

— Да ну?

— Точно.

Она закрыла глаза, и потекли слезы. Они лились и лились по ее щекам. Дзюнко ухватилась правой рукой за штанину Миякэ чуть выше коленки, ее тело тихо задрожало. Мужчина обнял ее и бережно прижал к себе. Но слезы течь не переставали.

— Ну честно, совсем ничегошеньки, — уже позже сипло сказала она. — Чистая пустота.

— Понимаю.

— Что, правда?

— Я в этом немного разбираюсь.

— Что же мне делать?

— Крепко уснуть. Проснешься — и, считай, все пройдет.

— Я думаю, не так все просто.

— Возможно. Может, действительно, все не так просто.

Бревнышко зашипело и фыркнуло паром. Миякэ поднял голову, сощурился и какое-то время смотрел на костер.

— И что мне теперь делать? — повторила Дзюнко.

— И в самом деле, что? Может, вместе умрем?

— Вы серьезно?

— Серьезно.

Миякэ замолчал, обнимая Дзюнко. Она уткнулась в его старую куртку.

— В любом случае, подожди, пока догорит, — сказал Миякэ. — Все-таки костер. Побудь со мной до конца. Вот погаснет он, станет совсем темно, тогда и умрем, идет?

— Идет, — ответила Дзюнко. — Вопрос: как?

— Подумаем.

— Угу.

Окутанная дымом костра, Дзюнко прикрыла глаза. Обнимавшая ее рука Миякэ, — для взрослого человека слишком маленькая, — задеревенела.

Пожалуй, я вряд ли смогу жить с этим человеком, думала Дзюнко. Почему? Потому что я вряд ли смогу проникнуть в его сердце. Но умереть с ним вместе у меня получится.

Постепенно сон навалился на нее. Сказывалось выпитое виски. Почти все бревна уже истлели и рухнули. И только самое толстое полено по-прежнему сияло оранжевым цветом, а его тихое тепло передавалось всему телу. Пожалуй, оно догорит нескоро.

— Ничего, если я посплю?

— Ничего.

— Когда догорит, разбудите?

— Не волнуйся, погаснет огонь — станет холодно. Не захочешь, а проснешься.

Она повторила про себя эти слова. «Погаснет огонь — станет холодно. Не захочешь, а проснешься». Затем свернулась калачиком и уснула — не надолго, но крепко.

Все божьи дети могут танцевать

Ёсия проснулся с жуткого бодуна. Силился продрать оба глаза, но открылся лишь один. Правое веко не слушалось. Такое ощущение, будто за ночь во рту разболелись все зубы. Из гнилых корней сочится болезнетворная слюна и растворяет мозжечок. Оставь как есть — мозги вскоре исчезнут, и думать станет нечем. Раз так, нечего и делать, — вместе с тем пронеслось в голове. Вот бы поспать еще, но Ёсия прекрасно понимал, что уснуть уже не сможет. Какой тут сон, если ему так хреново.

Он бросил было взгляд на будильник у изголовья, но тот куда-то подевался. Часов на своем месте не оказалось. Очков тоже. Пожалуй, запустил ими куда-нибудь... машинально. И прежде такое случалось.

Он понимал, что нужно вставать, но стоило приподнять верхнюю часть тела, как в голове помутнело, и Ёсия снова рухнул на подушку. По окрестностям колесила машина торговца шестами для белья. Можно было сдать старые шесты и заменить их на новенькие. Голос из репродуктора уверял, что цена их за последние двадцать лет не изменилась. Четкий протяжный голос мужчины средних лет. От одного этого голоса Ёсии стало плохо, как от морской качки. Но чтоб блевать, одной тошноты недостаточно.

Один его товарищ в такие минуты жуткого бодуна смотрел утренние программы. Стоило услышать пронзительный визг телевизионного «охотника на ведьм», вещающего о богеме, как выворачивало все, что оставалось с вечера.

Однако в то утро Ёсия был не в силах дотянуться до телевизора. Он еле дышал. Где-то в глубине зрачков прозрачный свет упрямо смешивался с белым дымом. Перспектива была на удивление плоской. Кажется, это смерть, — пронеслась мысль. В любом случае, повторять опыт не хотелось. Лучше умереть прямо сейчас. «Только об одном прошу: не дай мне бог испытать такое еще раз».

Помянув бога, Ёсия вспомнил о матери. Хотелось пить. Он позвал было ее, но сразу понял, что дома больше никого. Мать три дня назад уехала в Кансай с другими верующими. Какие все-таки люди разные, подумал он. Мать — добровольный прислужник бога, сын — в сверхтяжелом бодуне. Он не мог подняться. Правый глаз по-прежнему не открывается. «С кем это я так набрался? Не-по-мню». Попробовал, но мозг будто окаменел. «Ладно, вспомню потом».

Пожалуй, еще утро. Но яркие лучи солнца, бившие сквозь щели в шторах, ясно давали понять, что дело идет к полудню. Он работал в издательстве, и на незначительные опоздания даже таких молодых работников, как он, смотрели сквозь пальцы. Достаточно отработать вечером, лишь бы дело двигалось. Тем не менее выход на работу после обеда начальник с рук не спустит — выскажет все, что думает. В принципе, можно и мимо ушей пропустить, вот только не хотелось, чтобы как-то отразилось на одном знакомом верующем, который пристроил его на эту работу.

В конечном итоге, из дому Ёсия вышел почти в час. В другой бы день придумал уважительную причину и остался болеть дома, но сегодня как назло следовало подготовить и отпечатать один документ, хранившийся на дискете. И перепоручить это кому-то другому нельзя.

Они с матерью жили в районе Асагая, поэтому Ёсия доехал по Центральной линии до станции Йоцуя, там пересел на линию Маруноучи, оттуда добрался до Касумигасэки, где еще раз пересел на линию Хибия и вышел на станции Камия-чё. На ватных ногах взбирался и спускался он по многочисленным лестницам. Издательство располагалось недалеко от станции. Издавало оно туристические путеводители по загранице.

В пол-одиннадцатого вечера, по дороге домой, пересаживаясь на станции Касумигасэки, он увидел человека без мочки уха. На вид было человеку за пятьдесят, волосы седоватые. Высокий, без очков, в старомодном твидовом пальто и с кожаным портфелем в правой руке. Он медленно шагал от платформы линии Хибия к платформе линии Чиёда, словно о чем-то размышлял. И Ёсия не задумываясь пошел за ним следом. А когда очнулся — в горле стоял сухой ком.

Матери Ёсии было сорок три, но выглядела она на тридцать с небольшим. Лицо правильное, очень опрятная. Пуританское питание и гимнастические нагрузки по утрам и вечерам помогали ей сохранять прекрасную фигуру, хорошую кожу. К тому же их с сыном разделяли какие-то восемнадцать лет, из-за чего ее часто принимали за старшую сестру.

Вдобавок ко всему, она с трудом ощущала себя матерью. Может, просто была эксцентричной особой. И даже когда Ёсия перешел в среднюю школу и у него начало пробуждаться сексуальное влечение, она продолжала ходить по дому в неглиже, а то и совсем голой. Одно только — спальни у них были раздельные, но когда матери по ночам становилось одиноко, она приходила в его комнату, не утруждая себя даже что-нибудь накинуть, забиралась к нему в постель и засыпала, обвив его тело руками, словно кошку или собаку.

Он понимал, что в мыслях матери не было каких-либо намерений, но легче от этого не становилось. А до нее, видимо, не доходило, что сын при этом возбуждается и вынужден спать в неудобной, неестественной позе.

Ёсия боялся скатиться до фатальных отношений с матерью и не прекращал искать себе такую подругу, которая безропотно улеглась бы с ним в постель. Поскольку такая никогда не находилась, он время от времени мастурбировал. Уже в старших классах на заработанные по вечерам деньги посещал неприличные заведения. Сам Ёсия расценивал свои действия даже не как способ сбросить излишнее сексуальное напряжение, а наоборот — как нечто возникшее из страха.

Ему следовало покинуть дом и начать жить самостоятельно. Ёсия долго думал об этом: и поступив в институт, и устроившись на работу. Но даже сейчас, в двадцать пять, так и не решился. Одна из причин — он не знал, что может натворить мать, останься она в одиночестве. Он и так много лет тратил массу сил и энергии на то, чтобы не дать осуществиться ее саморазрушительным (хоть и благонамеренным) планам.

Заяви он внезапно матери, что уходит из дому, с нею случится истерика. Ведь она до сих пор ни разу не задумывалась о том, что Ёсия будет жить отдельно. В тринадцать лет он заявил, что перестал верить в Бога. Ёсия прекрасно помнил, как сильно горевала мать, как все вокруг нее начало рушиться. Полмесяца она почти ничего не ела и не разговаривала, не мылась и не расчесывалась, даже не меняла нижнее белье. Не следила за собой при месячных. Он впервые в жизни видел мать такой грязной и вонючей. И ему становилось больно лишь от одной мысли, что когда-нибудь такое может повториться.

Отца у Ёсии нет. С самого рождения у него есть только мать.

С детства он только и слышал от нее:

— Твой отец — Всевышний. — (Так они называли своего Бога.) — А место Всевышнего — на Небесах. С нами Он жить не может. Но Всевышний — то есть, твой Отец — всегда следит за тобой и оберегает.

То же говорил ему и опекун по фамилии Табата, который с младенчества наставлял его на путь истинный.

— Положим, нет у тебя в этом мире отца. Найдутся злые языки, которые будут тебя за это попрекать. Но, к сожалению, в этом мире у многих людей глаза затуманены, и они не видят истинного положения вещей. Но твой всевышний Отец — сам мир. И ты живешь, целиком окруженный его любовью. Гордись этим и живи, как подобает.

— Но Бог — он ведь один на всех? — спрашивал едва поступивший в школу Ёсия. — А отцы у всех разные, так?

— Знаешь, Ёсия, твой Отец рано или поздно перед тобой предстанет. Неожиданно, в совершенно непредсказуемом месте, но ты с ним встретишься. Однако ес-

ли ты будешь сомневаться или хуже того — бросишь веру, — он обидится и тогда пиши пропало. Понял?

— Понял.

— Не забудешь мои слова?

— Не забуду, Табата-сан.

Хотя если честно, Ёсия серьезно его слова не вос-
принял. Почему? Он не ощущал себя каким-то особен-
ным «дитём Божьим». С какой стороны ни посмотри —
обычный мальчишка. Даже наоборот, хуже обычного:
ничего примечательного, сплошные оплошности. К три-
надцати годам его успеваемость была не на высоте, в
спорте — никаких надежд. Бегал медленно, еле держался
на ногах, к тому же зрение подкачало и руки не из того
места росли. Оказываясь на бейсбольном поле, не мог
поймать мяч. Товарищи по команде ворчали, наблюдав-
шие за игрой девчонки — хихикали.

Перед сном он молился своему отцу — Богу. «Я
крепко пронесу в своем сердце веру до конца дней своих, а Ты сделай так, чтобы я мог ловить мячи. Только и
всего. Больше мне (сейчас, по крайней мере) ничего
не нужно. Если мой отец и вправду Бог, Он должен услышать такую мелочь». Однако надежды не сбывались.
И мяч продолжал выпадать из его бейсбольной перчатки.

— Ёсия, это вызов Всевышнему, — категорически
говорил Табата. — То, что ты молишься, — совсем не
плохо, но молиться нужно за нечто большее. Молиться
за что-то конкретное, имеющее предел, — никуда не годится.

Когда Ёсии исполнилось семнадцать, мать поведала се-
крет его рождения — или что-то вроде этого.

— Тебе уже пора об этом знать, — начала она. — В молодости я жила в полном мраке. В душе царил хаос, как в первобытном море. Мрачные тучи скрывали истинный свет. К тому времени я имела опыт сношений с мужчинами без любви. Ты же знаешь смысл слова «сношение»?

— Знаю, — ответил Ёсия.

Когда речь шла о сексе, мать порой употребляла устаревшие слова. А он к тому времени уже *имел опыт сношения без любви* с несколькими девицами.

Мать продолжала:

— Первый раз я забеременела во втором классе старшей школы[1]. Тогда я не придала этому большого значения. Пошла в больницу, которую посоветовал один мой знакомый, и сделала аборт. Гинеколог был молодым и любезным человеком, после операции прочитал мне лекцию о предохранении. Говорил, что аборт вреден как для тела, так и для души, к тому же не исключается заражение венерическими заболеваниями. И выдал мне пачку новеньких презервативов, сказав, чтобы я ими непременно пользовалась. Я ему объясняла, что всегда ими пользуюсь, на что он ответил: значит, кто-то неправильно их надевал. Никто, как ни странно, толком ими пользоваться не умеет. Но я же не дура. Всегда была начеку, всегда предохранялась. Едва разденусь — и сразу мужчине презерватив надеваю сама. Им доверять нельзя. Ты же знаешь про презервативы?

— Знаю, — ответил Ёсия.

— Через два месяца я опять забеременела, хотя была осторожна вдвойне. Но при этом все повторилось. Даже

---

1   16 лет.

не верится. Делать было нечего, и я пошла к тому же врачу. Тот посмотрел на меня и сказал: ведь только что предупредил. О чем только вы думаете? А я в слезах объясняла ему, как старалась предохраняться во время сношений. Но он не поверил мне и лишь обругал: дескать, пользовалась бы презервативами, такого бы не произошло. — Мать посмотрела на сына и продолжала: — Это долгая история. В конечном итоге, где-то через полгода я, к своему удивлению, начала сношаться с этим врачом. Было ему тогда лет тридцать, молодой, неженатый. Беседовать с ним было скучно, но человек порядочный и честный. Одна особенность — у него не было правой мочки уха, в детстве собака откусила. Шагал он себе, а тут выскакивает невиданная черная собака огромных размеров. Вот и откусила ему ухо. «Хорошо, что одну мочку, — говорил он сам. — И без мочки можно жить. Вот без носа было бы хуже». И я не могла с ним не согласиться.

— Я встречалась с ним и постепенно смогла вернуть саму себя. С ним я не думала ни о чем постороннем. Мне нравилась его половинка уха. Работал он очень много, а в постели рассказывал мне о способах предохранения. Когда и как надевать презерватив, когда и как снимать. Ну просто идеальная защита от беременности, однако несмотря на это я опять забеременела.

Мать пошла к любовнику-врачу и все рассказала. Тот сделал необходимые анализы и подтвердил беременность. Но признавать себя отцом ребенка отказался. Сказал, что как специалист предпринимал стопроцентные меры по предотвращению беременности. И обвинил мать в том, что она сношалась с другими мужчинами.

— Меня его слова сильно обидели. Меня аж затрясло всю. Ты же знаешь, как я обижаюсь?

— Знаю.

— Пока я встречалась с ним, у меня не было никаких *сношений* с другими мужчинами. А он при этом считал меня распутной девкой. Больше я с ним не виделась. И аборт делать не стала. Думала прямо там взять и умереть. Если бы меня не подобрал господин Табата, наверняка уселась бы на паром да сиганула в море. Умирать мне тогда было не страшно. Не стань меня тогда, не было бы и тебя сейчас. Но господин Табата вернул меня на путь истинный и тем спас. Наконец-то я увидела проблеск света. И с помощью других верующих родила тебя на свет Божий.

После встречи с матерью господин Табата сказал:

— Каждый раз ты беременела, несмотря на все меры предосторожности. Причем три раза кряду. Считаешь это случайность? Я — нет. Три — число откровения Всевышнего. Иными словами, Оодзаки-сан, Бог требует от вас завести ребенка. И это ребенок не кого попало, а пребывающего на Небесах Всевышнего. Давайте назовем мальчика Ёсия[1].

Как и предсказывал Табата, родился мальчик. Назвали его Ёсия. Мать не познала больше ни одного мужчины и стала жить в служении Господу.

— Выходит, — робко вымолвил Ёсия, — мой биологический отец — тот врач-гинеколог?

— Да нет же! Тот предохранялся идеально. Как и говорил господин Табата, твой отец — Всевышний. Ты по-

---

1   Ёси (*яп.*) — добро, добродетель.

61

явился на свет не после сношения плоти, а по воле Всевышнего, — отрезала мать, сверкнув глазами на сына.

Казалось, она верила в это всей душой. Но Ёсия не сомневался: его отец — врач-гинеколог. Видимо, что-то было не в порядке с презервативом. Что тут еще можно предположить?

— И что, врач знает о моем рождении?

— Думаю, что нет, — ответила мать. — Откуда ему знать, если мы с тех пор больше не виделись?

Мужчина сел в метро на линии Чиёда в сторону Абико[1]. Ёсия запрыгнул вслед за ним в тот же вагон. В одиннадцатом часу вечера в метро довольно пустынно. Мужчина сел, вынул из портфеля журнал. Открыл заложенную страницу. Ёсии показалось, что журнал — какой-то специальный. Он уселся напротив и развернул газету, делая вид, будто читает. Мужчина был худощавый, лицо точеное, серьезное. «Похож на врача», — подумал Ёсия. Возраст примерно тот, а самое главное — у него нет мочки правого уха. Выглядит так, будто действительно след от укуса собаки.

Этот человек — мой биологический отец, — интуитивно почувствовал Ёсия. Но он не знает, что в мире есть я. И даже если я сейчас сообщу ему это, вряд ли он мне поверит. Он же убежден, что предохранялся идеально.

Поезд проехал станцию Син-Очяно-мидзу, миновал Сэндаги, Мачия и вскоре выехал на поверхность. На каждой остановке пассажиров становилось все меньше. Но мужчина читал журнал, не глядя по сторонам. Он не собирался вставать. Ёсия изредка бросал на

1 На северо-восток Токио.

него пытливый взгляд и читал, сам того не желая, вечерний выпуск газеты. И между делом припоминал события прошлой ночи. Он со своим близким другом по университету и двумя его знакомыми подружками решил выпить на Роппонги. Как все вместе перебрались затем в дискотеку он помнил, точнее — этот факт воскрес в его памяти. «Ну и как я поступил с девчонкой? Нет, кажется, ничего не было. Так надраться — не до *сношений*».

Раздел новостей вечерней газеты по-прежнему пестрел статьями о землетрясении. Мать вместе с другими верующими остановилась в офисе одной религиозной организации. Они каждое утро набивали рюкзаки товарами первой необходимости и ехали, докуда шла электричка. Затем шли пешком по усыпанному обломками шоссе до Кобэ. Там раздавали людям то, что приносили с собой. Разговаривая с сыном по телефону, мать говорила, сколько весит рюкзак — бывало по пятнадцать килограммов. Ёсии казалось, что от увлеченно читающего напротив мужчины то место отделяют триллионы световых лет.

Пока Ёсия учился в начальной школе, он раз в неделю ходил с матерью на проповеди. В этой организации у нее получалось проповедовать лучше других. Красивая, молодая, судя по всему, хорошо образованная (что было правдой), к людям она относилась дружелюбно. Ну и держала за руку маленького мальчика. Люди просто теряли бдительность. Они не питали интереса к религии, но выслушать ее соглашались. Мать надевала скромный, однако лестный для ее фигуры костюм и ходила по домам, распространяла религиозные буклеты и ненавязчиво, с улыбкой на лице рассказывала, какое это счастье — иметь веру. Предлагала непременно обращаться, если возникнут какие-либо проблемы.

— Мы ничего не навязываем. Мы только отдаем, — пылко уверяла она с блеском в глазах. — Моя душа прежде металась в потемках, но с помощью этого учения я спаслась. Этот малыш находился у меня в животе, а я решила броситься с ним в море и умереть. Но Всевышний протянул мне руку с небес, и сейчас я живу в сиянии вместе с сыном и Всевышним.

Ёсии было не в тягость ходить по незнакомым домам, держась за материнскую руку. В такие минуты мать была как никогда нежна, а ее рука — тепла. Нередко их прогоняли, не желая ничего слышать. Поэтому они радовались любому доброму слову и очень гордились, когда получали новоиспеченного верующего. При этом Ёсия думал: «Ну, теперь-то отец-Боженька точно хоть немного, но признает меня».

Однако перейдя в среднюю школу, он отказался от веры. В нем проснулся эгоизм, он уже не мог принимать несовместимые с общественным мнением жесткие заповеди организации. Однако не только это. Главным образом отдалила его от веры безграничная холодность со стороны Родителя. На душе было темно и тяжко, на сердце — камень. Мать очень жалела о решении сына, но Ёсия оставался непоколебим.

Мужчина сунул журнал в портфель, встал и направился к двери на последней станции перед префектурой Чиба. Ёсия вышел следом. Мужчина вынул из кармана проездной билет и миновал турникет. Ёсия остановился — следовало доплатить в специальном автомате. Он едва не опоздал, когда мужчина усаживался в такси на стоянке. Ёсия прыгнул в следующую машину и достал из бумажника новенькую купюру в десять тысяч иен.

— Вон за тем такси.

Водитель подозрительно глянул на Ёсия, затем на купюру.

— Со мной ничего не будет? Это не криминал?

— Ничего страшного, — успокоил Ёсия. — Обычная слежка.

Водитель молча взял купюру и надавил на газ.

— Но и по счетчику заплатите. Я его уже включил.

Две машины пронеслись вдоль опущенных жалюзи торгового квартала, миновали несколько пустырей, оставили позади больницу со светящимися окнами и мелко размеченные участки под дешевое строительство. Движения на дороге почти не было, поэтому преследовать было легко, и на приключение это не тянуло. Водитель увлекся: то отставал, то сокращал дистанцию.

— Расследуете измену?

— Нет, что-то вроде охоты за мозгами, — ответил Ёсия. — Две фирмы охотятся за одним специалистом.

— Ого, — лишь удивился водитель. — Не знал, что конкуренция достигла таких размахов.

Жилье стало встречаться реже, они оказались в промышленном районе с заводами и складами вдоль реки. Вокруг ни души, лишь маячили все новые и новые фонари. Первая машина резко затормозила возле высокого и длинного бетонного забора. Водитель Ёсии, вовремя заметив стоп-сигналы, нажал на тормоз метрах в ста и потушил фары. И лишь ртутные лампы безмолвно освещали асфальт. Ничего, кроме забора, не видно. По верху бегут толстые ряды колючей проволоки — как вызов всему остальному миру. Открылась дверца первой машины, человек без мочки уха вышел. Ёсия, не говоря ни слова, протянул водителю еще две бумажки по тысяче иен.

— Такси тут не поймать, поэтому возвращаться вам будет непросто. Может, подождать? — спросил водитель, но Ёсия отказался и вышел из машины.

Мужчина сразу же зашагал по прямой дороге вдоль забора. Как и на станции метро, его шаги были медленными и размеренными. Похож на ладного робота, которого тянет куда-то магнитом. Ёсия поднял воротник пальто и следовал за мужчиной, стараясь оставаться незамеченным, иногда выдыхая белый пар. До него доносилось лишь поскрипывание кожаных туфлей мужчины, а резиновые подошвы Ёсии, казалось, ступали беззвучно.

Вокруг — ни малейшего признака жизни, будто пейзаж, увиденный во сне. Закончился длинный забор, показалась свалка старых машин. Они громоздились одна на другой за металлической сеткой забора. Краска уже облезла от дождей, и под ртутными лампами они окончательно потеряли цвет. Мужчина шагал дальше.

Ёсия ничего не мог понять. Зачем тот вышел из такси в этом жутком месте? Куда он возвращается, домой? Или решил немного прогуляться? Но февральская ночь — не лучшее время для ночных прогулок, на улице холодно. Леденящий ветер иногда подталкивал Ёсию в спину.

Свалка закончилась, опять потянулся неприглядный бетонный забор, а в том месте, где он обрывался, открылся тесный проулок. Мужчина, словно зная о его существовании, уверенно свернул туда. В глубине проулка — темно, что дальше — определить невозможно. Ёсия немного поколебался, но все же поспешил следом за мужчиной, шагнув в темноту. Раз дошел досюда, поворачивать уже не годится.

Переулок с обеих сторон был зажат высокими заборами. Прямой и узкий. Настолько, что разойтись трудно. И темный, как ночью на морском дне. Доносился лишь скрип обуви мужчины. Он продолжать идти в том же темпе чуть впереди. В мире, куда не доставал свет, Ёсия двигался на этот звук, но вскоре пропал и тот.

Неужели мужчина обнаружил хвост? Наверное, остановился, затаил дыхание и прислушивается. Сердце Ёсии сжималось во мраке. Но он выровнял дыхание и зашагал вперед. Какая разница, если человек заметит слежку? Так даже лучше: можно открыто с ним заговорить. Однако переулок вскоре закончился. Тупик. Впереди путь перекрыт железной оградой. Хотя если приглядеться, видна щель, сквозь которую может пролезть человек. Кто-то проделал эту щель в ограде. Ёсия прихватил полы пальто, нагнулся и нырнул в нее. Там оказалась просторная поляна. Даже не так — не поляна, а какая-то площадка. Ёсия стоял и в бледном свете луны пытался осмотреться. Людей нигде не было.

Бейсбольное поле. Он стоял по центру внешней линии. Трава под ногами примята, и лишь выступает словно бы шрамом место бэттера. За «домом» на другой стороне стадиона виднелись черные крылья защитной сети, горка питчера выступала подобно наросту на земле. Вдоль аутфилда натянута железная проволока. И ветер бесцельно гоняет упаковку от картофельных чипсов.

Ёсия сунул руки в карманы и стоял, ожидая, что сейчас произойдет. Но ничего не происходило. Он посмотрел направо, затем налево, в сторону питчера, на землю под ногами и поднял голову к небу. Там отчетливо вырисовывались контуры нескольких облаков. От луны эти силуэты странно светились. Из травы едва ощутимо несло собачьими экскрементами. Мужчина пропал. Бесследно. Был бы здесь сейчас Табата, наверняка сказал бы:

— Видишь, Ёсия, как Всевышний предстает перед нами в совершенно непредсказуемой форме.

Но Табата три года назад умер от рака мочеточника. Последние несколько месяцев страдал так, что на него жалко было смотреть, но при этом ни разу не воззвал к Всевышнему. Не попросил, чтобы Тот ослабил его боли. Ёсия считал, что ему оставалось только молиться (пусть это дело конкретное и имеющее предел), так строго Табата следовал заповедям, и как никто другой был близок к Богу. К тому же, — вскользь подумал он, — почему Бог может испытывать людей, а они Его — нет?

Ныло в висках, но от бодуна это или от чего еще, понять он не мог. Ёсия нахмурился, вытащил руки из карманов и пошел медленными, но широкими шагами к «дому». Еще недавно он, затаив дыхание, преследовал человека, напоминавшего отца. И его голова была занята только этим. Но вот он оказался на бейсбольном стадионе незнакомого городка. Стоило фигуре мужчины исчезнуть, как Ёсия перестал ощущать важность всей вереницы своих прежних действий. Сам смысл уже потерян, и к прежнему возврата нет. Так же, как раньше во «флай-ауте» заключался неразрешенный вопрос жизни и смерти, а потом это стало уже неважно.

Чего я *этим* хотел добиться? — переспрашивал себя на ходу Ёсия. Или я сам стремился проверить связь с тем, что здесь и сейчас находится? Или же надеялся, что меня поместят в новый сценарий и доверят более важную роль? Нет, не это. Я гонялся за хвостом мрака, сидящего во мне самом. Я случайно его увидел, погнался, ухватился и, в конце концов, загнал себя в еще более глубокий мрак. Больше я его вряд ли увижу.

Душа Ёсии попала теперь в тихое, ясное единое место и время. Ему было уже все равно, кто тот мужчина: его отец, Бог или совершенно чужой человек, где-то потерявший мочку уха. Там уже было одно проявление, один тайный след. Хвала Всевышнему?

Он поднялся на горку питчера, встал на полустертую пластину и что было сил расправил плечи. Сцепил пальцы, поднял руки над головой. Затем глубоко вдохнул прохладный воздух ночи и еще раз посмотрел на луну. Такую огромную луну. Почему луна то растет, то наоборот — убывает? Со стороны первой и третьей баз высились небольшие трибуны. Конечно, в феврале посреди ночи там никого нет. Только протянулись три тесных ряда прямых и зябких скамеек. А за сеткой, пожалуй, склад — несколько мрачных зданий без окон. Света не видно, звуков не слышно.

Стоя на горке, Ёсия вращал руками — вверх, в стороны, вниз. Как бы подстраиваясь, ритмично выставлял по очереди ноги — то вперед, то в стороны. Движения походили на танец, и он согрелся, к нему вернулись ощущения живого организма. Да и головная боль куда-то подевалась.

Подруга по университету звала его «лягушонком». Почему? Танцуя, он походил на лягушку. Танцевать она любила и часто водила его на дискотеки.

— Видишь сам, какие у тебя длинные руки и ноги? Не танцуешь, а шлепаешь. Но такой хорошенький, как лягушка под дождем, — говорила она.

Ёсии слышать это было неприятно, но он ее не бросал, и спустя какое-то время и танцевать ему понравилось. Стоило непроизвольно начать двигаться под музыку, как он реально ощущал, что естественный ритм его тела совпадает с основным ритмом мира. Приливы и отливы, ветер над лугом, движение звезд — все это однозначно имеет отношение и ко мне тоже, думал он.

Подруга ему говорила, что никогда не видела такого большого пениса, как у него.

— Такой большой, он не мешает тебе танцевать? — спрашивала она, беря его в руку.

— Да нет, не мешает, — отвечал Ёсия.

И в самом деле, пенис был огромным. Причем сколько Ёсия себя помнил. Но чтобы от пениса ему был толк — этого он припомнить не мог. Наоборот, несколько раз по этой причине ему отказывали в сексе. Даже с эстетической точки зрения он был слишком большим, громоздким и выглядел идиотски неуклюжим. Он старался скрывать пенис от чужих взоров.

— То, что у Ёсии такое большое хозяйство, — верный знак дитя Божьего, — с гордостью говорила его мать. Сам Ёсия тоже в это верил. Но однажды ему все это показалось жутко глупым. Я молил Бога, чтобы тот научил меня ловить «флай», а он наградил меня таким крупным членом. В каком другом мире возможны похожие сделки?

Ёсия снял и сложил в футляр очки. «А что, и станцуем, — подумал он. — Тоже неплохо». Он закрыл глаза и, ловя кожей белый свет луны, начал в одиночку танцевать. Глубоко вдохнул, затем выдохнул. Он не мог припомнить бодрой музыки, и стал танцевать под шорох травы, под течение облаков. Ему вдруг показалось, что кто-то за ним наблюдает. Он явственно ощутил на себе *чей-то* взгляд. И его тело, и кожа, и кости его чувствовали этот взгляд, но ему было все равно. Кто бы он ни был. Хочет смотреть — пусть смотрит. Все божьи дети могут танцевать.

Он ступил ногой на землю, изящно повел руками, каждое его движение вызывало следующее и ритмично переходило в очередное. Тело вычерчивало разные фигуры, и в каждой присутствовал стиль, его вариации, экспромт. С изнанки ритма был другой ритм, а между ними — невидимый третий. Шаг за шагом он смог разглядеть все их витиеватые переплетения. В лесу, как на картинке-обманке, прятались различные животные, среди них — и прежде невиданные страшные хищники. Он скоро минует этот лес. Но страха при этом нет. Еще бы — этот лес в нем самом. Лес, который он взращивал в себе сам. И сам в себе он держал зверей.

Сколько он танцевал, Ёсия не помнил. По-видимому — долго. Он танцевал, пока весь не взмок. А потом вдруг ощутил себя на самом дне земли, по которой ступал уверенным шагом. Там раздавался зловещий рокот глубокого мрака, струился неведомый поток человеческих желаний, копошились скользкие насекомые. Логово землетрясения, превратившего город в руины. И это — всего лишь одно из движений Земли. Ёсия перестал тан-

71

цевать, отдышался и посмотрел под ноги — словно заглянул в бездонную расселину.

Он думал о матери в разрушенном городе. Если бы время повернулось вспять, и нынешний я мог бы встретиться с матерью, когда ее душа еще витала во мраке, — что бы из этого вышло? Пожалуй, оба растерялись бы, слились в единое целое, пожрали бы друг друга и понесли жестокую кару. Но кого это волнует? Если уж говорить, возмездие ждало нас намного раньше. Город должен был рухнуть вокруг меня.

После университета подруга заговорила о свадьбе:

— Я хочу за тебя замуж, лягушонок. Хочу жить с тобой и родить тебе ребенка. Мальчика с таким же большим хозяйством, как у тебя.

— Я не могу, — ответил Ёсия. — Я тебе раньше не говорил, но я — дитя Божье. А потому не могу жениться на ком попало.

— Что, правда?

— Правда, — ответил Ёсия. — Правда. Извини, конечно.

Теперь он встал на колени, зачерпнул песок и медленно ссыпал его сквозь пальцы. Потом зачерпнул еще одну пригоршню, и еще... Холодный песок тек меж пальцев, а он вспомнил, как в последний раз пожал ссохшуюся руку Табаты.

— Ёсия, долго я не протяну, — хрипло говорил Табата. Ёсия попытался было ему возразить, но тот лишь слабо кивнул. — И это ладно. Жизнь — кошмарный сон. Мне показали дорогу, и досюда я смог добраться. Но перед смертью я должен сказать тебе вот что. Мне стыдно это говорить, но сказать я должен. Меня часто посещали дурные мысли о твоей матери. Как ты знаешь, у меня есть семья, и я люблю ее всем сердцем. А у твоей матери — душа невинная. Но несмотря на это, я жаждал ее тела. И не мог себя удержать. За это я хочу извиниться перед тобой.

«Извиняться здесь не за что. "Дурные мысли" посещали не только вас. Даже я, ее сын, и тот стоял на пороге искушения», — хотел было сказать Ёсия, но передумал. Скажи он, Табата лишь расстроится. Ёсия молча взял его руку и долго сжимал ее. Будто хотел передать по руке все, что творилось у него на душе. Наше сердце — не камень. Камень и тот рано или поздно превратится в песок. А вот сердце — нерушимо. Будь то добро или зло, мы можем до бесконечности передавать друг другу эту неощутимую субстанцию. Все божьи дети могут танцевать. На следующий день Табаты не стало.

Ёсия стоял на питчерской горке, вверив себя потоку времени. Откуда-то издалека доносилась сирена «скорой помощи». Задул ветер, разгулял траву, выслушал ее песню и утих.

— Боже! — вырвалось из уст Ёсии.

Таиланд

Раздалось объявление: «Самльёт сичас объезжат плёхой турбульентось. Просьба заньять свои место и застьегнуть ремьень». Сáцуки думала о своем и не сразу поняла, чтó на ломаном японском объявила тайская стюардесса.

Сацуки прошиб пот. Очень душно, бýдто ее обдает жаром. Все тело пылало, капроновые колготки и бюстгальтер стискивали его. Вот бы все это скинуть, остаться совсем без одежды, думала она. Сацуки приподняла голову и огляделась. Судя по всему, от жары страдала только она. Остальные пассажиры бизнес-класса, прячась от холодных струй кондиционера, укутались по шею в пледы и смирно спали. Пожалуй, у меня прилив жара. Она покусывала губы, пытаясь сосредоточиться на чем-нибудь и забыть о приступе. Открыла книгу на заложенной странице и принялась читать дальше. Но отвлечься, естественно, не получилось. Жар просто необычный. А до посадки в Бангкоке еще долго. Она попросила у проходившей мимо стюардессы воды, нашла в сумке коробочку и отправила в рот гормональные таблетки, которые забыла выпить накануне.

Она в очередной раз убедилась, что климакс — не что иное, как насмешливое предупреждение Бога человечеству, искусственно продляющему себе жизнь. Или гадкая шутка. Еще какие-то сто лет назад средний срок жизни не превышал пятидесяти лет, и женщины, жившие после климакса двадцать, а то и тридцать лет были примером из ряда вон выходящим. Проблема даже не в том, чтобы поддерживать организм после того, как яичники или щитовидная железа перестанут нормально выделять гормоны, не в возможной связи снижения уровня эстрогенов после прекращения месячных и болезни Альцгеймера. Для большинства людей нормально питаться каждый день — куда более важная задача. Если задуматься, развитие медицины лишь добавило человечеству проблем, раздробило их и тем самым все только усложнило.

Спустя время сделали еще одно объявление. На этот раз — по-английски: «Если среди пассажиров есть врач, просьба обратиться к стюардессам».

Кому-то плохо? Сацуки хотела было вызваться, но затем передумала. Раньше она уже делала так дважды, и всякий раз как назло в том же самолете летел практикующий терапевт. Старая гвардия, они чувствовали себя спокойно и уверенно, словно командовали на передовой, и с первого взгляда видели в Сацуки специалиста-патолога без всякого боевого опыта.

— Я справлюсь сам, коллега, — говорили они. — Не затрудняйте себя.

Ей холодно улыбались, и ничего не оставалось, как что-то промямлить, извиниться и вернуться на место. И дальше смотреть никакой фильм.

Но может, на этот раз действительно здесь не окажется ни одного врача, только я. Или у больного — проблемы с иммунитетом щитовидки. Если это так, хотя

вероятность крайне невелика, я тоже могу пригодить-
ся. Сацуки вздохнула и нажала кнопку вызова стюардессы.

Международная конференция специалистов-эндокри-
нологов проводилась четыре дня в бангкокском отеле
«Марриотт». Конференцией она именовалась официально, а на деле больше напоминала воссоединение огромной семьи эндокринологов мира. Все участники ра-
ботали в одной области и почти все прекрасно друг
друга знали. А кто не знал, того знакомили. Тесный
круг. Днем звучали научные доклады, велись прения и
дискуссии, а по вечерам устраивали частные приемы.
Собирались близкие друзья, освежалась старая дружба.
Все пили австралийское вино, говорили о железах, обменивались слухами, хвастались новыми должностями,
рассказывали профессиональные анекдоты, распевали
в караокэ песню «Бич Бойз» «Surfer Girl».

В Бангкоке Сацуки проводила почти все время со
своими друзьями из Детройта. С ними было приятнее
всего. Сацуки проработала в больнице Университета Детройта около десяти лет — там она вела свои научные исследования. Однако со временем у нее испортились отношения с американским мужем — аналитиком ценных
бумаг. У того с годами возникла алкогольная зависи-
мость, а вдобавок завелась женщина. Причем хорошая
знакомая Сацуки. Первым делом они с мужем разъеха-
лись, и целый год общались только через адвокатов. «Ре-
шающим в нашем разрыве было то, что ты не хотела детей», — настаивал муж.

Лишь три года назад они завершили бракоразводный
процесс. А спустя несколько месяцев на стоянке универ-

ситетской больницы кто-то разбил лобовое стекло и фары ее «хонды-аккорда». Больше того — на капоте белой краской написали «машина джапа»[1]. Она вызвала полицию. Приехал огромный темнокожий полицейский, заполнил заявление о нанесенном ущербе, а в заключение сказал:

— Доктор, здесь — Детройт. В следующий раз покупайте «форд-таурус».

Все это отбило у Сацуки желание оставаться в Америке, и она решила вернуться в Японию. Нашла себе должность в больнице Токийского университета.

— Наши многолетние исследования едва начали давать плоды. Ты не можешь уехать именно сейчас, — уговаривал ее коллега-индус. — Иди все своим чередом, и «нобелевка» у нас в кармане.

Но Сацуки своего решения не изменила. Что-то в ней оборвалось.

Конференция завершилась, и Сацуки осталась в гостинице одна.

— Мне удалось совместить поездку с отпуском, так что поеду на курорт, дам себе отдых, — сказала она знакомым. — Буду читать книжки, плавать, пить в шезлонге у бассейна прохладные коктейли.

— Везет тебе, — отвечали ей. — Расслабляться порой просто необходимо. Полезно в том числе и для щитовидки...

Она пожала приятелям руки, обнялась с ними на прощанье, договорилась о следующей встрече и была такова.

---

1 «Джап» — унизительное обращение американцев к японцам после победы в Тихоокеанской войне.

На следующее утро, как и планировалось, к гостинице подкатил лимузин — темно-синий «мерседес-бенц» старой модели. Блестящий, как драгоценный камень. На кузове — ни пятнышка. Красивее любой новой машины, как будто его выдернули из чьей-то ирреальной химеры. Гиду-водителю было чуть за шестьдесят. Худощавый таец, накрахмаленная белая рубашка с короткими рукавами, черный шелковый галстук, темные очки. Загорелый, с тонкой изящной шеей. Стоя перед Сацуки, он не пожал руку, а сложил ладони и слегка поклонился на японский манер.

— Зовите меня Нимит. Всю эту неделю я буду вас сопровождать.

Нимит — это имя или фамилия? Как бы там ни было, он — Нимит. Нимит говорил очень вежливо на удобоваримом английском. Ни разбитного американского акцента, ни сдержанного британского. Иначе говоря, акцент в его речи почти не улавливался. Такое ощущение, что она раньше где-то слышала этот английский, но где — припомнить не могла.

— Очень приятно, — ответила Сацуки.

И они вдвоем оставили за спиной душный, суматошный и шумный Бангкок со всем его смогом. Машины давились в пробке, люди орали друг на друга, воздух резал вой клаксонов, пронзительный, как сирена воздушной тревоги. В добавок ко всему дорогу перегородили слоны. Причем не два и не три.

— Интересно, что они здесь делают? — поинтересовалась Сацуки у Нимита.

— Их пригоняют люди из провинции, — вежливо ответил тот. — Это — рабочие слоны, они переносят бревна. Но только на это не проживешь, вот хозяева и учат животных всяким трюкам и показывают иностранным туристам за деньги. Уже весь город заполонили, жителям от них сплошные неудобства. Бывали случаи, когда слоны пугались чего-то и пускались в бегство. Много тогда они помяли машин. Конечно, полиция не дремлет, но отобрать слонов у погонщиков тоже не может: куда их девать, и потом — кто их всех прокормит? Вот только и остается, что выпускать на волю.

Машина вскоре выехала за город, на хайвэй и помчалась прямо на север. Нимит вынул из бардачка кассету и негромко включил музыку. Полился джаз. Какая-то очень старая и знакомая мелодия.

— Не могли бы вы сделать громче? — попросила Сацуки.

— Слушаюсь, — ответил Нимит и прибавил громкости.

Играла «I Can't Get Started». То же исполнение, что ей приходилось слышать в молодости.

— Труба — Говард Макги, тенор-сакс — Лестер Янг, — как бы про себя сказала Сацуки. — Концерт JATP[1].

Нимит бросил на нее взгляд в зеркальце:

— А вы, доктор, разбираетесь в джазе. Что, нравится?

— Отец был большим поклонником. Часто мне ставил. Причем одно и то же по несколько раз, заставлял даже имена исполнителей запоминать. Когда отвечала правильно — получала сладости. Вот, до сих пор помню. Сплошной старый джаз. Новых исполнителей не знаю никого. Лайонел Хэмптон, Бад Пауэлл, Эрл Хайнз, Гарри Эдисон, Бак Клэйтон...

1 Аббревиатура «Jazz At The Philharmonic» («Джаз в Филармонии», *англ.*) — первые записи джазовых концертов для поддержания духа в войсках США, начатые в 1944 г.

— Я тоже слушаю только старый. А чем занимался ваш отец?

— Тоже был врачом. Педиатром. Но умер, едва я поступила в старшую школу.

— Извините... А сейчас вы слушаете джаз?

Она покачала головой:

— Нет, уже давно ничего не слушала. Тот, за кого я вышла замуж, его не любил. Из музыки только одну оперу и слушал. У нас дома был прекрасный проигрыватель, но когда на него ставили что-нибудь кроме оперы, муж кривился. Маньяки оперы, пожалуй, — самые мелочные в мире люди. С мужем-то я развелась, но горевать не буду, если до самой своей смерти больше оперу не услышу.

Нимит лишь кивнул слегка и больше уже не говорил ничего. Он бесшумно вращал руль «мерседеса», не отрывая взгляда от дороги. Орудовал рулем он изящно — касался пальцами его в одном и том же месте и, повернув на определенный угол, отпускал. Заиграла другая мелодия, не менее любимая — «Я вспомню апрель» Эрролла Гарнера. Его альбом «Concert By The Sea» был любимым диском отца, когда он уже болел раком. Сацуки закрыла глаза и погрузилась в воспоминания. Пока отец был жив, у нее все было прекрасно. Не случалось ничего худого. Затем словно сменили декорации, и все вокруг нее повернуло вспять. А когда она очнулась, отца уже не было. Будто кто-то подменил сценарий: не прошло и месяца после смерти отца, как мать избавилась от стереосистемы и коллекции джаза.

— Доктор, откуда вы родом в Японии?

— Киото, — ответила Сацуки. — Но жила там только до восемнадцати. И с тех пор не возвращалась.

— Сдается мне, Киото — где-то поблизости от Кобэ?

— Не то чтобы далеко, но и не так близко. По крайней мере, от землетрясения он не пострадал.

Нимит перестроился в дальний ряд и играючи обогнал колонну больших грузовиков, перевозивших скот, затем опять вернулся в ближний ряд.

— Это хорошо. Я видел в новостях, сколько в Кобэ народу погибло. Очень печально. А у вас нет знакомых в Кобэ?

— Нет, у меня там никого нет, — сказал Сацуки. Но она соврала. В Кобэ жил *он*.

Нимит на время умолк. Затем повернул голову к ней и сказал:

— Все-таки какая странная штука — землетрясение. Мы-то свято верим, что земля под ногами — твердая и прочная. Даже фраза есть такая: «упираться ногами в землю». И вот однажды мы понимаем, что это не так. Прочная земля и скалы становятся мягкими, как кисель. Я видел своими глазами по телевизору. Как это там называется — «текучестью»? К счастью, в Таиланде крупных землетрясений не бывает.

Сацуки сидела с закрытыми глазами, откинувшись на спинку заднего сиденья. И молча слушала игру Эрролла Гарнера. Хорошо, если *тот человек* оказался под тяжелым завалом, и его раздавило в лепешку. Или засосало в рассевшуюся под ногами пучину. *Это как раз то, о чем я так долго мечтала.*

Лимузин доехал до места в три часа. В полдень они заехали на парковку для отдыха. Сацуки съела половинку сладкого пончика, запивая его крахмалистым кофе. Неделю отпуска ей предстояло провести на престижном курорте в горах — то была цепочка зданий, растянувшаяся по долине с видом на горную реку. На склонах тут и там цвели яркие дикие цветы. Щебеча, перелетали с дерева на дерево птицы. Для Сацуки подготовили отдельный коттедж. С широкой ванной и кроватью под элегантным балдахином. Сервис — круглые сутки. Рядом с портье — библиотека, где можно брать напрокат компакт-диски, книги и видеокассеты. Все чистенькое, ухоженное и стоит немалых денег.

— Сегодня вы, наверное, устали после переезда? Отдыхайте, доктор. Завтра я приеду за вами в десять утра и сопровожу в бассейн. Соблаговолите подготовить полотенце и купальник, — сказал Нимит.

— В бассейн? Разве на этом курорте нет большого бассейна? Мне говорили, что есть.

— Здешний бассейн обычно переполнен. Я слышал от господина Рапапорта, что вы серьезно занимаетесь плаванием, поэтому нашел поблизости другой, где можно поплавать в свое удовольствие. Конечно, не бесплатно, но очень недорого. Надеюсь, вам придется по душе.

Джон Рапапорт — американский друг Сацуки, который и устроил ей этот отпуск. Спецкором газеты он колесил по Юго-Восточной Азии, еще когда в этих краях свирепствовали кхмеры. Оставались у него кое-какие знакомства и в Таиланде. Это он порекомендовал Нимита гидом и водителем. Как бы в шутку он говорил Сацуки:

— Тебе не нужно ни о чем беспокоиться. Молча следуй за этим человеком, и все будет в порядке. Он парень стóящий.

— Понятно. Будь по-вашему, — сказала она Нимиту.

— Итак, завтра в десять.

Сацуки разобрала вещи, расправила и развесила в шкафу платье и юбку. Затем переоделась в купальник и отправилась в местный бассейн. Как и говорил Нимит, серьезно поплавать в этом «водоеме» было невозможно. Формой он напоминал тыкву, посередине возвышался красивый водопад, а в «лягушатнике» детишки бросали друг другу мяч. Сацуки не стала и пытаться, а вместо плавания устроилась под зонтиком и, заказав «Тио Пепе» с «Перье», раскрыла новый роман Джона Ле Карре. Когда читать устала, прикрыла лицо шляпой и задремала. Во сне видела кролика. Короткий такой сон. В затянутом проволокой крольчатнике дрожал один зверек. Время позднее, кролик чувствовал — что-то должно произойти. Сначала Сацуки наблюдала за кроликом со стороны, а когда очнулась, сама им стала. Во тьме она смутно различала *некую* форму. И когда проснулась, изо рта не исчез неприятный привкус.

Она знала: *тот человек* живет в Кобэ. Знала и его адрес, и номер телефона. Она никогда не теряла его из виду. Сразу после землетрясения позвонила ему домой, но связи, естественно, не было. Раздавило бы его дом в лепешку, думала она. Забегали бы всей своей семейкой по улице без гроша в кармане. Если подумать, что ты сделал с моей жизнью, с жизнью моего ребенка, который должен был родиться, такое возмездие тебе поделом.

До бассейна, который нашел Нимит, ехать нужно было полчаса. Им предстояло перевалить через гору, у вершины которой жило много диких обезьян. Шерсть у них была серая, и они сидели вдоль дороги и пристальными взглядами провожали машины, словно гадали им судьбу.

Бассейн располагался на обширном и очень странном участке за высоким забором. С массивными железными воротами. Нимит опустил стекло и поздоровался. Охранник молча отпер. «Мерседес» немного проехал по гравийной дорожке, и за старым каменным двухэтажным домом показался длинный узкий бассейн. Тоже староват, но вполне пригоден: три 25-метровые дорожки. Его окружали газоны и деревья, вода — чистая, людей вокруг нет. Вдоль бассейна в ряд стояли несколько старых деревянных кресел. Вокруг царила тишина, и присутствия людей не чувствовалось вообще.

— Ну как? — поинтересовался Нимит.

— Прекрасно, — вымолвила Сацуки. — Здесь какой-нибудь спортклуб?

— Нечто вроде. Но так получилось, что сейчас почти никто им не пользуется. Так что плавайте в свое удовольствие. Обо всем уже договорено.

— Спасибо. Вы такой всемогущий.

— Вы мне льстите, — сказал Нимит и бесстрастно поклонился. Старая выправка. — Вон в том маленьком бунгало раздевалка. Там же — туалет и душ. Пользуйтесь, чем пожелаете. Я буду ждать у машины. Если понадоблюсь — позовите.

Сацуки с юности любила плавать и, как только выдавалась свободная минутка, ходила в бассейн своего спортклуба. Надевала купальник с клубной символикой и подолгу плавала там под присмотром тренера. Из головы улетучивались все неприятные воспоминания. На душе становилось свободно, словно она — птица и летит по небу. Занятий она не бросала, и через некоторое время перестала хворать, а организм заработал как часы. Лишний вес — и тот не накапливался. Она, конечно, не молода, и строгости линий тела уже нет. Как ни противься, на пояснице возникли складки. Тут, как говорится, не до жиру... В принципе, становиться рекламной моделью она не собиралась. Она и так выглядела лет на пять младше своего возраста и вообще была сложена очень даже неплохо.

Настало время обеда. К бассейну Нимит принес на серебряном подносе чай со льдом и сэндвичи. Аккуратно порезанные треугольниками, с овощами и сыром.

— Это что, приготовили вы? — удивленно спросила Сацуки.

У Нимита на мгновение дрогнуло лицо, но ответил он сразу же:

— Нет, доктор. Я не готовлю. Их сделали.

«Кто?» — хотела было спросить Сацуки, но передумала. Как и советовал Рапапорт, «нужно ни о чем не беспокоиться, молча следовать за этим человеком, и все будет в порядке». Сэндвичи оказались недурными.

После еды она слушала взятую у Нимита кассету Бенни Гудмена и читала книгу. Поплавав еще немного, к трем часам вернулась в гостиницу.

Абсолютно то же самое повторялось все пять дней. Сацуки плавала сколько душе угодно, ела сэндвичи с овощами и сыром, слушала музыку и читала книгу. И никуда, кроме бассейна, не ездила. Ей требовался *абсолютно беззаботный* отдых.

Плавала она там всегда одна. Для бассейна в горах воду качали из подземного источника. Холодная, леденящая — стоило в нее окунуться, и спирало дыхание, но после нескольких кругов тело разогревалось, и Сацуки становилось намного лучше. Устав от кроля, она снимала очки и переворачивалась на спину. В небе плавали белые облака, носились птицы и стрекозы. Вот бы так всегда, думала про себя Сацуки.

— Где вы учили английский? — спросила по дороге из бассейна Сацуки.

— Я тридцать три года проработал в Бангкоке водителем у одного норвежского торговца драгоценностями. И все это время разговаривал с ним по-английски.

Вот оно что, подумала Сацуки. Именно — у нее в балтиморской больнице тоже был один коллега из Дании. Он говорил на таком же английском: правильном, без акцента и слэнга. Понятном, красивом, но лишенном шарма языке. Странное дело: приехать в Таиланд и услышать здесь норвежский английский...

— Тот человек очень любил джаз и в дороге постоянно слушал кассеты. Так я привык к джазу. А три года назад он умер, и мне эту машину отдали вместе со всеми кассетами.

— Выходит, умер ваш босс, и вы стали самостоятельно работать гидом и водителем у иностранных туристов?

— Именно так, — ответил Нимит. — В этой стране немало гидов-водителей, но «мерседес», пожалуй, — у меня одного.

— Тот человек, видимо, вам доверял.

Нимит молчал. Похоже, он не знал, что ответить. Затем подумал и заговорил:

— Доктор, я — одинокий человек. Так и не женился. Жил все эти тридцать три года, словно его тень. Следовал за ним во всех поездках, помогал ему во всевозможных делах. Стал как бы частью его самого. Живя так, постепенно перестаешь понимать, что тебе вообще нужно от этой жизни. — Нимит сделал музыку чуточку громче. Тенор-сакс выдавал хриплое соло. — Например, эта музыка. «Слышишь, Нимит, вслушайся хорошенько. Внимательно проследи линию импровизации. Кто у нас там — Коулман Хоукинс? Ты должен понять, что он хочет до нас донести в этом пассаже. А хочет он донести свой крик души, что вырывается из его груди. Такой же крик есть и в моей, и в твоей душе тоже. Слышишь его отзвук? Пылкое дыхание, трепет сердца...», — бывало, говорил он. Я несколько раз слушал эту музыку, вслушивался и расслышал этот отзвук. Вот только не уверен, *действительно* ли я услышал его своими ушами. Если долго живешь с одним человеком, следуешь его словам, в каком-то смысле становишься его вторым «я». Понимаете, о чем я?

— Пожалуй.

Слушая Нимита, Сацуки подумала: а не любовники ли они? Естественно, лишь интуитивная догадка — оснований-то никаких. Но если предположить, что это так, кажется, понятно, о чем он.

— Но я ни о чем не жалею. Начнись жизнь сначала, пожалуй, повторил бы ее так же. Абсолютно так же. А вы, доктор?

— Не знаю, Нимит, — сказала Сацуки. — Даже представить себе не могу.

Нимит больше не произнес ни слова. Они перевалили гору с серыми обезьянами и вернулись в гостиницу.

На следующий день Сацуки нужно было возвращаться в Японию, и Нимит по дороге из бассейна отвез Сацуки в соседнюю деревню.

— Доктор, у меня к вам есть одна просьба, — сказал он ее отражению в зеркальце. — Личная просьба.

— Какая именно?

— Не могли бы вы уделить мне всего час? Есть одно место, куда мне хотелось бы вас свозить.

— Все равно, — сказал Сацуки и даже не спросила, что это за место. Ведь она уже решила следовать за этим человеком.

Женщина жила в маленьком домишке на краю поселения. Дом — бедный, как и вся деревня. По склонам будто наслаивались друг на друга узкие рисовые чеки, бродил грязный и тощий скот. Дорога сплошь в лужах и рытвинах, несет навозом. По обочине носился здоровый пес, потряхивая возбужденным членом. С жутким ревом пронесся, разбрызгивая грязь, мотороллер. Вдоль дороги стояли полураздетые дети и провожали взглядом «мерседес» Нимита и Сацуки. Она вновь удивилась, только на сей раз — нищете, царившей по соседству с богатым курортом.

Женщина была в годах. Сколько ей — около восьмидесяти? Грубая почерневшая кожа, глубокие распадки морщин по всему телу, сгорбленная. Платье в цветочек висело на ней. Войдя в хижину, Нимит сложил руки и поклонился. Женщина ответила тем же.

Сацуки села за стол напротив женщины, Нимит расположился сбоку. Сначала они с женщиной о чем-то поговорили. А голос у нее не по годам сильный, отметила Сацуки. Да и зубы, похоже, все на месте. Затем женщина повернулась и взглянула прямо в глаза Сацуки. Острый взгляд. Немигающий. Сацуки поежилась, будто ее, как маленького зверька, заперли в тесной клетке,

91

отрезали все пути к побегу. Затем она пришла в себя и поняла, что ее прошибло по́том. Лицо пылало, дыхание сперло. Хотелось немедленно выпить лекарство. Но нет воды. Бутылка минералки осталась в машине.

— Положите руки на стол, — сказал Нимит. Сацуки сделала так, как ей велели.

Старуха дотянулась и взяла правую руку Сацуки. Ладонь у нее маленькая, но крепкая. Минут десять (а может, всего две или три) старуха молча сидела, держа Сацуки за руку, впившись в нее своими глазами. Сацуки лишь изредка смотрела на нее и свободной левой рукой вытирала пот со лба. Затем старуха глубоко вдохнула и отпустила руку. Повернулась к Нимиту и что-то сказала ему на тайском. Мужчина перевел на английский:

— Она говорит, что в вашем теле камень. Твердый и белый камень. Размером с детский кулачок. Откуда взялся, она не знает.

— Камень?

— На камне том начертаны знаки, но — по-японски, она их не понимает. Что-то мелко выведено черной тушью. Камень — старый, и вы наверняка живете с ним долгие годы. Вам необходимо от него избавиться. Не сделайте вы это — умрете, вас кремируют и даже после этого останется лишь один камень.

Старуха на этот раз повернулась к Сацуки. Долго и медленно говорила что-то. По тону Сацуки поняла, что женщина говорит о чем-то очень важном. Нимит и на этот раз перевел:

— Вы вскоре увидите во сне, как выползает огромная змея. Выползет она через отверстие в стене. Вся сплошь в зеленых чешуйках. Высунется примерно на метр, хватайте ее за шею. Раз поймаете, не вздумайте выпускать. Змея по виду страшная, но безвредная. Поэтому бояться ее нельзя. Хватайте ее крепко обеими руками. Считайте, что в ней — ваша судьба. И держите изо всех сил. До тех пор, пока не проснетесь. Эта змея проглотит ваш камень. Поняли?

— Это... Что это такое?

— Скажите, что *поняли*, — серьезно произнес Нимит.

— Поняла, — эхом отозвалась Сацуки.

Старуха слабо кивнула. И опять повернулась к Сацуки и заговорила о чем-то.

— Тот человек не умер, — перевел Нимит. — Он цел и невредим. Возможно, вам бы не этого хотелось. Но для вас это большое везение. Можете благодарить свою судьбу.

Старуха что-то добавила.

— Вот и все, — сказал Нимит. — Вернемся в гостиницу.

— Это что, гадание? — спросила Сацуки уже в машине.

— Нет, доктор, не гадание. Как вы лечите людские тела, она лечит души. В основном, предсказывает сны.

— Раз так, ее нужно было отблагодарить. Меня все это настолько поразило, что совсем вылетело из головы.

Нимит, вращая руль, вписался в крутой горный поворот.

— Я заплатил. Сумма вас не должна беспокоить. Считайте это моим к вам знаком дружеского внимания.

— Вы что, возите туда всех своих клиентов?

— Нет, только вас, доктор.

— Это почему?

— Вы красивая женщина, доктор. Умная, сильная. Но видно, что душа ваша в плену. А вам нужно начинать готовиться к смерти. Если потратите всю силу на то, чтобы жить, не сможете как следует умереть. Нужно постепенно менять ориентиры. Жить и умереть — в каком-то смысле это равноценно, доктор.

— Послушайте, Нимит... — Сацуки сняла темные очки и подалась вперед, навалившись на спинку переднего сиденья.

— Что, доктор?

— А вы готовы умереть как следует?

— Я уже наполовину мертв, — сказал Нимит, как будто это и так очевидно.

Той ночью Сацуки рыдала, зарывшись в свою просторную и чистую постель. Она осознавала, что медленно движется к смерти. Она осознавала, что в ней сидит твердый белый камень. Она осознавала, что где-то во мраке затаилась змея, вся сплошь в зеленых чешуйках. Подумала о ребенке, которому не суждено было родиться. Она убила это дитя и выбросила его в бездонный колодец. И, наконец, — она тридцать лет ненавидела одного мужчину. Она жаждала мучительной смерти для него. Ради этого в глубине души она была согласна даже на землетрясение. «Неким образом в этом землетрясении виновна я сама. Это он превратил мое сердце в камень, он сделал меня черствой». Там, в далеких горах серые обезьяны молча всматривались в нее. *Жить и умереть — в каком-то смысле это равноценно, доктор.*

Сдав у стойки багаж, Сацуки протянула Нимиту конверт со стодолларовой купюрой.

— Спасибо за все. Благодаря вам я смогла прекрасно отдохнуть. Это от меня лично.

— Спасибо за внимание, доктор. — С этими словами Нимит принял конверт.

— Нимит, а у нас есть еще время выпить где-нибудь кофе?

— С удовольствием составлю вам компанию.

Они пошли в кафе, где она выбрала черный, а он свой изрядно сдобрил сливками. Сацуки некоторое время вращала кружку, поставив ее на блюдце.

— По правде говоря, есть у меня одна тайна, которую я до сих пор не рассказывала никому, — наконец-то заговорила женщина, обращаясь к Нимиту. — До сих пор никому не могла ее открыть и так и жила, храня ее в себе. Но сегодня... сегодня хочу, чтобы вы меня выслушали. Почему? Вряд ли мы увидимся снова. Не успел скоропостижно скончаться мой отец, мать, не говоря мне ни слова...

Нимит поднял руки, словно бы отгораживаясь ладонями от Сацуки, и решительно закачал головой.

— Доктор, прошу вас, больше ни слова. Как сказала вам та старуха, ждите сон. Я понимаю ваше состояние, но слово — не птица, вылетит — не поймаешь.

Сацуки проглотила остаток фразы и прикрыла глаза. Глубоко вздохнула, выдохнула...

— Нужно дождаться сна, доктор, — мягко говорил ей Нимит, словно внушая что-то. — Сейчас самое время потерпеть. Бросьте свои слова. Слова превращаются в камень.

Он протянул руку и тихо взял ее ладонь в свою. Рука его на ощупь была гладкой и молодой. Будто он холил свои руки, облачал их в дорогие перчатки. Сацуки открыла глаза и посмотрела ему в лицо. Нимит отпустил ее руку и сплел над столом пальцы.

— Мой норвежский хозяин был родом из Лапландии, — сказал он. — Вам, пожалуй, известно, что Лапландия расположена на самом севере Норвегии. Недалеко от Северного полюса, там много оленей. Летом нет ночи, зимой — дня. Он, скорее всего, не мог выносить холода и приехал в Таиланд. Согласитесь, здесь — полная противоположность Норвегии. Он любил Таиланд и готов был здесь умереть. Однако вот какая штука: он до самой своей смерти с любовью и нежностью вспоминал свою родину — городок в Лапландии. Часто рассказывал мне о нем. Но при этом ни разу не побывал там за все тридцать три года. Думаю, на то у него были какие-то особые причины. У него тоже лежал на душе камень. — Нимит взял чашку, отпил глоток и бесшумно вернул ее на место.— Однажды он рассказал мне историю о белом медведе. О том, насколько эти звери одиноки. Они спариваются только раз в году. В их мире супружеских отношений не существует. Просто случайно встречаются блуждающие по ледяным просторам самец и самка, и на месте встречи происходит случка. Причем совсем недолгая. Когда все позади, самец, будто чего-то опасаясь, спрыгивает с самки и убегает с того места. Буквально убегает, ни разу не обернувшись. И затем весь год живет в глубоком одиночестве. Никаких взаимоотношений у них не существует. Никакой нежности друг к другу не питают. Вот такой рассказ о белых медведях. По крайней мере, норвежец рассказывал мне так.

— Да, странная история, — сказала Сацуки.

— Действительно, странная... — Лицо Нимита посуровело. — Тогда я спросил хозяина, ради чего живут белые медведи? А он с улыбкой, словно понимая, о чем я, ответил мне вопросом: «Нимит, а *мы* ради чего живем?»

Самолет набрал высоту, погасло табло «Пристегните ремни». Вот я опять возвращаюсь в Японию, — подумала Сацуки. Она попыталась было задуматься о будущем, но вскоре перестала. Слова превращаются в камень... Кажется, так говорил Нимит? Она глубже вжалась в кресло и закрыла глаза. Затем вспомнила цвет неба, который видела, плавая на спине. Вспомнила мелодию Эр-ролла Гарнера «Я вспомню апрель». Нужно поспать, — подумала она, — нужно просто уснуть. И ждать, когда приснится сон.

Дружище Квак спасает Токио

Когда Катагири вернулся домой, в комнате его поджидала гигантская лягушка. Стоя на задних лапах, она была ростом выше двух метров. Крепко сложена. Худосочного Катагири при его метре шестидесяти величественное земноводное просто подавляло.

— Зовите меня Дружище Квак, — сказало оно уверенным голосом.

Катагири лишился дара речи и будто примерз у входа, отвесив челюсть.

— Нечего так удивляться. Вреда я не причиню. Проходите и закройте за собой дверь, — сказал Дружище Квак.

Катагири сжимал в правой руке портфель, а в левой — бумажный пакет из супермаркета с овощами и рыбными консервами. Он даже не думал шевелиться.

— Господин Катагири, давайте же, заходите, разувайтесь!

Услышав свое имя, Катагири пришел в себя и сделал, как велено: поставил на пол пакет и, сжимая под мышкой портфель, разулся. Вслед за Дружищем Кваком он прошел на кухню и сел за стол.

— Послушайте, господин Катагири, — заговорил Дружище Квак, — извините, что я своевольно проник сюда, пока вас не было. Вы, должно быть, сильно удивились. Но поверьте, иного выхода не было. Как, от чаю не откажетесь? Я знал, что вы скоро вернетесь и вскипятил чайник.

Катагири продолжал сжимать под мышкой портфель. Какая-то нелепая шутка. Кто-то забрался в лягушачий костюм и потешается над ним. Но как ни крути, и конституцией, и телодвижениями, с которыми Дружище Квак, мурлыча себе по нос, разливал кипяток, он сильно смахивал на доподлинную лягушку. Дружище Квак поставил одну чашку перед Катагири, другую — перед собой.

— Ну как, успокоились? — потягивая чай, спросил он.

Катагири по-прежнему не мог вымолвить ни слова.

— Вообще-то приходить нужно, предварительно условившись, — сказал Дружище Квак. — Я это осознаю, господин Катагири. Кто угодно удивится, обнаружив у себя в доме гигантскую лягушку. Но дело настолько важное и безотлагательное, что я поступился принципом.

— Дело? — наконец выдавил Катагири.

— Да, господин Катагири. Без дела я не стал бы врываться в чужой дом. Не такой я бесцеремонный.

— Что-нибудь связанное с моей работой?

— Ответ — и да, и нет, — наклонил голову Дружище Квак. — И нет, и да.

Так, нужно успокоиться и взять себя в руки, подумал Катагири, а вслух спросил:

— Ничего, если я закурю?

— Конечно-конечно, — с улыбкой ответил Квак. — Или здесь не ваш дом? Я ведь не могу вам здесь ни в чем отказывать. Курите, пейте сколько душе угодно. Сам-то я не курю, но требовать того же в чужих домах не могу.

Катагири вынул из кармана пальто сигареты и чиркнул спичкой. Обратил внимание, как трясется рука. Дружище Квак, сидя напротив, с интересом наблюдал за его действиями.

— Вы случайно не из какой-нибудь группировки? — решительно спросил Катагири.

— Ха-ха-ха, — рассмеялся в ответ Квак. Громким, заразительным смехом. «Шлеп», — хлестко ударил он по коленке ладошкой с перепонками. — А вы не без чувства юмора! Эк хватил! Какая банда якудзы даже в пору нехватки кадров будет принимать в свои ряды лягушек? Додумайся кто до этого, подымут на смех.

— Если вы пришли на переговоры по займам, то ничего не выйдет, — выпалил Катагири. — Лично у меня решающего слова нет. Я только подчиняюсь указаниям начальства и лишь выполняю распоряжения сверху. В любом случае, я вряд ли буду вам чем-либо полезен.

— Послушайте, господин Катагири, — сказал Дружище Квак, воздев указательный палец. — Я пришел сюда не по таким пустякам. Я знаю, что вы работаете помощником начальника секции в отделе контроля финансов отделения Синдзюку Трастобезопасного банка Токио. Но этот разговор не имеет никакого отношения к возврату займов. Я пришел сюда для того, чтобы спасти Токио от гибели.

Катагири огляделся. Казалось, его просто-напросто разыгрывают по-крупному, и где-то притаилась скрытая камера. Но камеры нигде не было. Маленькая квартирка в небольшом доме. Спрятаться в ней кому-то еще проблематично.

ХАРУКИ МУРАКАМИ

— Здесь, кроме меня, нет никого, господин Катагири. Пожалуй, вы считаете меня сумасшедшей лягушкой. Или думаете, что у вас белая горячка. Но вы не сошли с ума. И это не горячка. Предельно серьезный разговор.

— Послушайте, господин Квак...

— Дружище Квак, — опять задрав палец, поправил тот.

— Дружище Квак, — исправился Катагири, — нельзя сказать, что я вам не верю. Но я до сих пор не могу понять суть вашего визита. Не могу вникнуть, что здесь сейчас происходит. Можно несколько вопросов?

— Конечно-конечно, — сказал Дружище Квак. — Взаимопонимание — вещь очень важная. Правда, некоторые считают, что понимание — это не более чем сумма непониманий. Я тоже считаю это весьма интересным мнением, но, к сожалению, сейчас у нас нет времени идти в обход. Будет очень хорошо, если мы достигнем взаимопонимания кратчайшим путем. Поэтому спрашивайте, сколько считаете нужным.

— Вы — настоящая лягушка?

— Как видите, настоящая. Не порождение метафоры или цитаты, какой-нибудь деконструкции, сэмплинга или иного равно сложного процесса. Самая настоящая лягушка. Может, поквакать?

Дружище Квак поднял глаза к потолку и зашевелил горлом.

— Ква-а-а-а-а. Ква-ква-а-а-а-а, — раздался его могучий голос. Настолько могучий, что покосилась висевшая на стене картина в раме.

— Хватит, хватит, — поспешно сказал Катагири. Он прекрасно знал, какие в доме тонкие стены. — Достаточно, теперь я вижу, что вы — настоящая лягушка.

— Иными словами, лягушка в целом. Но даже если и так, факт, что я — лягушка, неоспорим. И если кто-то будет настаивать на обратном, он — конченый лгун. Таких нужно стирать в порошок.

Катагири кивнул. Чтобы как-то успокоиться, он взял чашку и отхлебнул чаю.

— Вы говорили, что хотите спасти Токио от разрушения?

— Именно так.

— Какого рода это разрушение?

— Землетрясение, — сурово понизил голос Дружище Квак.

Катагири смотрел на лягушку, раскрыв рот. Тот же молча уставился на Катагири. Их взгляды сцепились. Затем Дружище Квак продолжил:

— Очень сильное землетрясение. Оно потрясет Токио восемнадцатого февраля в полдевятого утра. То есть через три дня. И будет еще сильнее, чем в Кобэ. Предполагаемое количество жертв — сто пятьдесят тысяч. Большинство — в час пик, когда с рельсов сойдут электрички. Обрушатся автострады, обвалится метро, опрокинутся монорельсы. Начнут взрываться цистерны, дома, погребая под собой людей, превратятся в горы развалин. Повсюду вспыхнут пожары. На дорогах возникнут заторы, «скорые помощи» и пожарные машины выстроятся в беспомощные очереди. Люди будут тупо погибать. Погибших-то как-никак сто пятьдесят тысяч. Настоящий ад. Люди уже в который раз будут вынуждены признать, насколько это опасная штука — урбанизация. — Закончив эту тираду, Дружище Квак слегка кивнул. — Эпицентр — недалеко от районной администрации Синдзюку. Так называемое землетрясение подземного типа.

— Недалеко от администрации Синдзюку?

— Если говорить точно, прямо под вашим отделением Трастобезопасного банка Токио.

Повисла мрачная тишина.

— И что, стало быть... — залепетал Катагири, — вы — это самое землетрясение...

— Именно, — кивнул Дружище Квак. — Именно так. Мы вместе с вами, господин Катагири, проникнем в подземелье Трастобезопасного банка Токио, где сразимся с *Дружищем Червяком*.

Немало сражений вынес Катагири — ведь он работал в отделе контроля финансов. Все шестнадцать лет после окончания университета, день за днем на одном и том же месте бился он за то, чтобы займы банку возвращали. Подразделение это — вообще не самое популярное. Все стремились деньги только выдавать. Особенно это было актуально в эпоху экономики «мыльного пузыря», когда их девать было некуда. Было бы что заложить: землю или ценные бумаги, — и стоило лишь назвать кассиру необходимую сумму, пропорционально которой росли его, кассира, трудовые достижения. Но бывало, что люди прогорали, и тогда наступал черед Катагири. Особенно у него прибавилось работы, когда «мыльный пузырь» лопнул. Упали цены на акции, подешевела земля, залог потерял свой первоначальный смысл.

— Сколько сможешь, но урви налом, — раздавался приказ сверху.

Квартал Кабуки на Синдзюку — рассадник насилия в Токио. С давних пор здесь доминирует якудза, к ней причастны корейские преступные группировки, не дремлют китайские мафиози. Квартал утопает в оружии и наркотиках. Не всплывая наружу, кочуют из одного места в другое огромные деньжищи. И только люди пропадают, как дым. Сколько раз Катагири, пытаясь вытребовать деньги обратно, попадал к бандитам. Те угрожали, обещали с ним расправиться, но страшно ему не было. Какой смысл убивать простого банковского клерка? Хотите зарезать — режьте. Хотите убить — убивайте. Ни жены, ни детей у него нет. Родители уже в могиле. Младшие брат и сестра окончили институт и у каждого давно своя семья. Ну, убьют — никому от этого плохо не станет. Даже самому Катагири.

И Катагири оставался спокоен, чем выводил из себя окружавших его якудз. А потому в определенных кругах даже прослыл человеком с железными нервами. Но сейчас он совершенно ничего не понимал и даже не представлял себе, как поступить. Что это еще за история? *Дружище Червяк...*

— Кто он такой, этот самый Дружище Червяк? — опасливо спросил Катагири.

— Он живет на дне земли. Гигантский такой червяк. Как рассердится, быть землетрясению, — объяснил Дружище Квак. — Вот и сейчас он очень сердит.

— Чем это он так рассержен?

— Не знаю. И никто не знает, что он там себе под землей думает. Что говорить, его почти никто никогда не видел. Обычно он спит. Спит годами, десятилетиями в своей мрачной и теплой земле. Разумеется, глаза у него атрофировались, мозги за время сна и те разжидились и превратились в нечто иное. По правде говоря, я предполагаю, что он вообще уже не думает. Лишь чувствует своим телом раскаты звука издалека или сотрясения почвы, поглощает их одно за другим и копит в себе. И вот все это под воздействием каких-то химических реакций превращается в ненависть. Почему так происходит, не знает никто. Даже я не могу объяснить.

Дружище Квак молча смотрел в лицо Катагири. Ждал, пока до того дойдет. Затем продолжил:

— Не поймите меня неправильно, лично я — не против Дружища Червяка, мы с ним не враги. Плюс ко всему, я не считаю его силой зла. Набиваться ему в друзья тоже не собираюсь, и в каком-то смысле считаю, что всему миру *наплевать* на его существование. Мир — как огромное пальто, которому необходимы карманы в разных местах. Но сейчас он опасен, и так этого оставлять нельзя. Душа и тело Дружища Червяка за долгий период вобрали в себя огромное количество ненависти и раздулись до небывалых размеров. К тому же землетрясение в Кобэ в прошлом месяце нарушило его глубокий сон. Мне был знак: Дружище Червяк вне себя от гнева. И сам решил устроить землетрясение под Токио. О сроках и месте которого меня предупредили несколько близких насекомых. Информация верная.

Дружище Квак умолк, устало прикрыв глаза.

— Выходит, — заговорил Катагири, — мы с вами спустимся под землю, сразимся с Дружищем Червяком и предотвратим землетрясение?

— Именно так.

Катагири взял было чашку, но снова поставил ее на стол.

— Я не все еще понял, но почему вашим партнером должен стать именно я?

— Господин Катагири... — Дружище Квак неподвижно всматривался в глаза собеседника. — Я начал вас уважать. Последние шестнадцать лет вы безропотно выполняете опасную работу, за которую больше никто не хочет браться. Я прекрасно знаю, как вам было непросто. И не считаю, что начальство и коллеги оценивают вас по достоинству. Они попросту слепы. Но даже при этом вы не жалуетесь... Да что там работа — после смерти родителей вы сами подняли на ноги малолетних брата и сестру. Выучили их, одного женили, другую выдали замуж, пожертвовав своим временем и львиной долей заработка. Сами вы жениться так и не смогли. При этом брат с сестрой вам нисколько не благодарны за то, что вы для них сделали. Даже спасибо не сказали. Наоборот, они с вами не считаются и ведут себя бесстыжим образом. На мой взгляд, это никуда не годится. Так и хочется за вас их отдубасить. Но вы на них не в обиде... Говоря по правде, господин Катагири, наружности вы никакой, язык у вас не подвешен. Нередко на вас посматривают свысока. Но я-то знаю: вы — крепкий мужественный человек. Можно даже сказать, во всем Токио нет другого человека, кому бы я верил и мог бы вместе с ним сразиться против Дружища Червяка.

— Господин Ква...

— Дружище Квак, — опять воздел палец тот.

— Дружище Квак, откуда вы все обо мне знаете?

— Ну я же не только посреди болота квакаю. То, что нужно видеть, вижу.

— Только вот, Дружище Квак... — пошел на попятную Катагири. — Не такой уж я и сильный. О подземелье у меня весьма отдаленное представление, и я никак не потяну сражение с Дружищем Червяком. Есть же люди поздоровее меня. Там, каратисты всякие, рейнджеры из Сил самообороны...

Глаза Дружища Квака округлились:

— Господин Катагири, сражаться буду я. Но я не смогу сражаться один. Вот в чем суть. Мне нужны ваши мужество и справедливость. Вам необходимо будет стоять у меня за спиной и подбадривать: «Держись, Дружище Квак! Все в порядке, Дружище Квак. Ты победишь, потому что правда на твоей стороне». — Дружище Квак развел руками и шлепнул ими по коленкам. — По правде говоря, мне самому страшно сражаться во мраке с Дружищем Червяком. Все это время я любил искусство и жил мирной жизнью в согласии с природой. Мне совсем не нравится драться. Но я дерусь, потому что так нужно. Предстоит жуткий бой. Возможно, я получу увечья. А может, и живым не вернусь. Но я не бегу. Как говорил Ницше, «добродетель высшего разума — не иметь страха». Мне нужно, чтобы вы поделились со мной своим мужеством, от всего сердца поддержали бы меня как друга. Понимаете, о чем я?

Для Катагири еще многое оставалось неясным. Однако он почему-то понял, что словам Дружища Квака можно верить, как бы неправдоподобно ни звучали они. Катагири — сотрудник самого серьезного отдела банка — от природы обладал способностью это чувствовать.

— Господин Катагири, я вас прекрасно понимаю: является вдруг гигантская лягушка, вроде меня, выкладывает все и заставляет в это поверить. Естественно, вы не знаете, как быть. И это понятно. Поэтому я предоставлю вам одно доказательство своего существования. Если я не ошибаюсь, в последнее время вас беспокоит вопрос прекращения финансирования торговой компании «Большая Восточная Медведица»?

— Точно, — признал Катагири.

— Их деятельность прикрывает некое промафиозное Общее собрание, так? Они планово банкротят фирму, пытаясь увильнуть от возврата займа. Одним словом, махинаторы. Кассир выдал деньги, практически не удосужившись проверить залог, а отдуваться за него придется вам, господин Катагири, верно? Но в этот раз вам достался очень непростой и сильный клиент, за спиной которого просматривается фигура некоего политика. Общая сумма займа — семьсот миллионов иен. Я правильно понимаю?

— Все правильно.

Дружище Квак потянулся. Его лапы с огромными зелеными перепонками расправились, подобно крыльям птицы.

— Господин Катагири, ничего выдумывать не нужно, доверьте все Дружищу Кваку. Завтра утром ваша проблема будет решена. Расслабьтесь и отдыхайте.

Дружище Квак поднялся, улыбнулся, стал плоским, как сушеная каракатица, и просочился через щель запертой двери. В комнате остался один Катагири. И лишь стояли на столе две чашки. Больше о визите Дружища Квака не напоминало ничего.

Едва он пришел к девяти на работу, как на его столе зазвонил телефон.

— Господин Катагири? — послышался на другом конце провода холодный канцелярский голос. — Моя фамилия — Сираока, я — адвокат, веду дело торговой компании «Большая Восточная Медведица». Сегодня утром от моего клиента поступила информация, что он обязуется в установленный срок вернуть всю сумму на основании вашего требования. Мы отправим вам надлежащий документ. Только одна просьба: не присылайте к нам больше *Дружищ Квака*. Повторяю, попросите

Дружище Квака больше к нам не приходить. Сам я подробностей не знаю, но вы, надеюсь, догадываетесь, о чем речь.

— Все понятно, — ответил Катагири.

— То есть, вы непременно передадите Дружищу Кваку все, что сейчас услышали, да?

— Непременно передам. Он у вас больше не появится.

— Ну и хорошо. Документ будет готов к завтрашнему утру.

— Благодарю вас.

Трубку повесили.

В тот же день на обеденном перерыве в кабинет Катагири пришел Дружище Квак.

— Ну как, разобрались с торговой компанией «Большая Восточная Медведица»?

Катагири суетливо огляделся.

— Не переживайте, я виден только вам, — успокоил его Дружище Квак. — Теперь, надеюсь, вы убедились в моем существовании. Я — не плод вашего воображения. Реально действую и добиваюсь результатов. Наиживейшее существо.

— Господин Квак...

— Дружище Квак, — задрал тот палец.

— Да-да, дружище Квак, — исправился Катагири. — Что вы с ними сделали?

— Да ничего особенного. Пара пустяков. Малость постращал и все. Запугал морально. Как писал Джозеф Конрад, «истинный страх — тот, что человек придумывает себе сам». Видите, господин Катагири, результата я добился.

Тот кивнул и прикурил.

— Выходит, так.

— Теперь-то вы верите всему, о чем я говорил вам вчера? Как, составите мне компанию в сражении с Дружищем Червяком?

Катагири глубоко вздохнул. Снял и протер очки.

— Если честно, то не хотелось бы. Но ведь это неизбежно.

Дружище Квак кивнул:

— Это вопрос ответственности и чести. Хочется нам этого или нет, но придется спуститься под землю и лицом к лицу схватиться с Дружищем Червяком. Погибни мы в честном бою, никто нас не пожалеет. Одолеем — никто не похвалит. Люди даже не узнают, что под их ногами вершилась великая битва. Ведь знаем об этом только мы с вами. Как ни крути, борьба одиноких сердец.

Катагири взглянул на свои руки, затем на струйку дыма и сказал:

— Знаете, господин Квак, я простой человек.

— Дружище Квак! — поправил тот, но Катагири пропустил это мимо ушей.

— Я совершенно простой человек. Даже проще, чем вы думаете. Лысею, толстею, разменял пятый десяток. Страдаю от плоскостопия, при недавнем медосмотре вскрылся диабет. Последний раз спал с женщиной месяца три назад. Да и то с профессионалкой. Коллеги знают о моих способностях к выбиванию займов, но нельзя сказать, что меня за это уважают. Ни на работе, ни в личной жизни я никому не нравлюсь. Язык у меня не подвешен, людей чураюсь, дружить не умею. Способностей к спорту — ноль, полное отсутствие слуха, ростом не вышел, у меня фимоз, я близорук. К тому же, говорят, у меня астигматизм. Не жизнь — потемки. Просто сплю, бодрствую, ем и испражняюсь. Для чего живу — не знаю. Почему Токио должен спасать именно я?

— Господин Катагири, — странным голосом начал Дружище Квак, — спасти Токио под силу именно такому человеку, как вы. И для таких людей, как вы, я собираюсь спасать Токио.

Катагири опять глубоко вздохнул.

— И что мне нужно делать?

Дружище Квак составил план. Семнадцатого февраля (то есть за день до предполагаемого землетрясения) поздно ночью они спустятся под землю. Вход — в бойлерной отделения Синдзюку Трастобезопасного банка Токио. Если отодвинуть часть стены, там будет шурф, опустившись в который метров на пятьдесят по веревочной лестнице, они окажутся перед Дружищем Червяком. Место встречи — бойлерная. Катагири под видом сверхурочной работы останется в здании.

— А есть ли какой-нибудь план операции? — поинтересовался Катагири.

— План есть. Этого малого голыми руками не возьмешь. Он такой склизкий, что не разберешь, где у него рот, а где задний проход. И размером — с вагон метро.

— И в чем план заключается?

Дружище Квак задумался.

— Молчание — золото.

— Что, лучше не спрашивать?

— Можно сказать и так.

— А если я сбегу с поля боя, струсив в последний момент? Что вы будете делать, господин Квак?

— Дружище Квак! — поправил тот.

— Дружище Квак, что вы будете делать, случись такое?

— Буду сражаться один, — немного подумав, ответил тот. — Все-таки шансов на победу в одиночку у меня несколько больше, чем у Анны Карениной перед несущимся паровозом. Вы, кстати, читали «Анну Каренину»?

— Нет, — ответил Катагири, и Дружище Квак с жалостью посмотрел на него. Видимо, Анна Каренина ему нравилась.

— Я же считаю, что вы не бросите меня одного и никуда не убежите. Я это знаю. Как бы это сказать, будто вас держат за яйца. У меня, к сожалению, их нет. Ха-ха-ха, — широко раскрыв рот, рассмеялся Дружище Квак. Кроме яиц, у него не было и зубов.

Однако случилось непредвиденное.

Семнадцатого вечером Катагири подстрелили. Закончив работу с клиентами, он возвращался по улочкам Синдзюку в банк, когда перед ним выскочил молодой парень в кожаной куртке, с невыразительным и простоватым лицом. В руке он держал маленький черный пистолет. Пистолет был настолько черным и маленьким, что казался игрушечным. Катагири рассеянно смотрел на эту мрачную вещицу в руке парня. Он не мог осознать, что ее кончик направлен на него самого, а курок уже взведен. Все казалось бессмысленным и внезапным. Вдруг раздался выстрел.

Он видел, как отдачей подбросило пистолет, и одновременно ощутил удар, будто кто-то изо всех сил заехал ему по правому плечу кувалдой. Боли не чувствовалось. Катагири покатился по асфальту, словно его отбросило. Отлетел в сторону портфель. Парень опять направил дуло в его сторону. Раздался еще один выстрел. Разлетелась вдребезги реклама бара на тротуаре. Послышались крики. Куда-то соскользнули очки. Перед глазами все затуманилось. Катагири едва видел, как парень с пистолетом наизготовку приближался к нему. Ну вот, мне конец, — пронеслось у него в голове. Как там говорил Дружище Квак: «Истинный страх — тот, что человек придумывает себе сам». Катагири, не колеблясь, дернул за рубильник собственного воображения и погрузился в легкую тишину.

Когда он открыл глаза, то уже лежал на больничной койке. Вернее, сначала он открыл один глаз, слегка огляделся, затем открыл второй. И первой увидел у изголовья стальную стойку, с которой свисала тянувшаяся к его телу капельница. Рядом хлопотала медсестра в белом халате. Сам он лежал на жесткой кровати на спине, облаченный в какую-то причудливую одежду. Судя по всему, под ней было лишь голое тело.

Точно, кто-то стрелял в меня на дороге. Стрелял в плечо. Правое. В памяти всплыло, как все это происходило. Едва Катагири вспомнил маленький черный пистолет, заколотилось сердце. Они действительно хотели меня убить, — подумал он. Но все обошлось. С памятью все в порядке. Боли нет. Даже не так — не только боли, но и ощущений. Не получается даже приподнять руку.

Палата оказалась без окон, так что непонятно, день сейчас или ночь. Стреляли в пятом часу вечера. Интересно, сколько времени прошло? Встречу с Дружищем Кваком я, пожалуй, уже прохлопал. Катагири искал глазами в палате часы, но без очков ничего толком вокруг не видел.

— Извините? — обратился он к медсестре.

— Наконец-то вы пришли в себя. Как хорошо! — воскликнула та.

— Не подскажете, который час?

Медсестра посмотрела на свои часики:

— Четверть десятого.

— Вечера?

— Нет, утра.

— Четверть десятого? — приподняв с подушки голову, хрипло переспросил Катагири. Он не узнал своего голоса. — Четверть десятого утра восемнадцатого февраля?

— Да. — Медсестра на всякий случай повторно бросила взгляд на электронный циферблат. — Сегодня восемнадцатое февраля тысяча девятьсот девяносто пятого года.

— Утром в Токио случаем не было сильного землетрясения?

— В Токио?

— В Токио.

Медсестра покачала головой:

— Насколько мне известно, никаких сильных землетрясений не происходило.

Катагири с облегчением вздохнул. Как бы там ни было, катастрофы избежать удалось.

— Кстати, как там моя рана?

— Рана? — удивилась медсестра. — Какая рана? О чем вы?

— Об огнестрельной ране.

— Огнестрельной?

— В меня стреляли. Из пистолета. Недалеко от входа в банк. Молодой парень. Кажется, попал в правое плечо.

Медсестра кисло улыбнулась:

— Ну что мне с вами делать? Никто в вас не стрелял.

— Не стрелял? Правда?

— Такая же правда, как и то, что сегодня утром в Токио не было землетрясения.

Катагири растерялся:

— Тогда почему я в больнице?

— Вчера вечером в квартале Кабуки вас обнаружили на дороге без сознания. Ран никаких нет. Вы просто потеряли сознание и упали. Причина пока неизвестна. Скоро начнется обход, придет врач. Попробуйте спросить у него.

Обморок? Катагири видел собственными глазами выстрел из дула пистолета, направленного на него. Он поглубже вдохнул и попытался сосредоточиться. Сначала нужно упорядочить факты. Вышло вот что:

— Получается, что со вчерашнего вечера я на больничной койке. Потеряв сознание...

— Именно, — ответила медсестра. — Вчера ночью вас мучили жуткие кошмары. Причем, сдается, не один и не два. Вы несколько раз вскрикивали «Дружище Квак». Это что, прозвище вашего приятеля?

Катагири закрыл глаза, прислушиваясь к биению собственного сердца. Медленно, однако равномерно оно задавало ритм жизни. До каких пор это — реальность, и откуда начинается фантазия? Действительно ли существует Дружище Квак, который сразился с Дружищем Червяком и предотвратил землетрясение? Или все это — плод моей чрезмерной фантазии? Этого Катагири не знал.

Вечером в палату заявился Дружище Квак. Когда Катагири открыл глаза, тот сидел при слабом свете на стальном стуле, прислонившись к стене. Выглядел он очень усталым. Его выпуклые глаза были закрыты, меж зеленых век оставалась лишь узкая щелочка. Он спал.

— Дружище Квак, — позвал его Катагири.

Тот медленно открыл глаза. Большое белое брюхо с каждым вдохом раздувалось и снова опадало. Катагири сказал:

— Как мы и договаривались, я собирался прийти в полночь в бойлерную. Но вечером произошло непредвиденное событие, и я оказался в этой палате.

Дружище Квак едва заметно кивнул:

— Я знаю. Но все в порядке. Беспокоиться не о чем. Вы мне помогли, чем смогли.

— Помог?

— Да. Вы изо всех сил спасали меня во сне. Благодаря чему я выстоял в битве с Дружищем Червяком. И все это — с вашей помощью.

— Ничего не понимаю. Я долго пролежал без сознания. Вот с этой самой капельницей. Что со мной происходило во сне, совершенно не помню.

— Ну и хорошо. Этого лучше не помнить. В любом случае, вся жестокая схватка происходила в воображении. Это и есть наше поле битвы. Мы там побеждаем, мы там проигрываем. Естественно, всему нашему существу есть предел, и в конечном итоге мы, проиграв, уходим. Как прекрасно заметил Эрнест Хемингуэй, ценность нашей жизни определяется не по тому, как мы побеждаем, а по тому, как проигрываем. Мы с вами смогли спасти Токио от разрушения. Сто пятьдесят тысяч человек избежали смерти. Причем никто ничего даже не заметил. Мы добились своего.

— Как вы сломили Дружище Червяка? И какова была моя роль?

— Мы бились не на жизнь, а на смерть. Мы... — Дружище Квак умолк, затем глубоко вздохнул и продолжал: — Мы с вами собрали все свои силы, всю свою волю. Кромешная темнота была на руку Дружищу Червяку. Вы приготовили педальный генератор и изо всех сил заливали подземелье ярким светом. Дружище Червяк попытался было вас изгнать, натравив на вас мрачных призраков. Но вы — выстояли. Жестоко схватились мрак и свет. В лучах вашего света я сражался с Дружищем Червяком. Он обвился вокруг меня и поливал липким раствором страха. Но я рвал его в клочья. Однако он не умер, а только расчленился. И вот... — Дружище Квак умолк. Затем, как показалось, заговорил из последних сил: — Федор Достоевский с нежностью описывал брошенных Богом людей. Это жестокий парадокс — когда Бог бросает людей, создавших Его самого, однако и в нем Достоевский выискивал ценность человеческого бытия. Сражаясь во мраке с Дружищем Червяком, я мимоходом вспомнил «Белые ночи» Достоевского. Я... — замялся Дружище Квак. — Ничего, если я немного посплю? Устал.

— Нужно хорошенько выспаться.

— Я не смог разбить Дружища Червяка, — закрывая глаза, промолвил Дружище Квак. — Предотвратить землетрясение смог, но в самой битве с Дружищем Червяком лишь добился ничьей. Я ранил его, он — меня... Однако я, господин Катагири...

— Что?

— Я — самый что ни на есть чистый Дружище Квак, и вместе с тем я — олицетворение *недружищекваковского* мира.

— Я этого не понимаю.

— Я тоже не понимаю, — продолжал Дружище Квак с закрытыми глазами. — Просто мне так кажется. Не все то правда, что мы видим. Мой враг — я сам внутри себя. Внутри меня есть *не я*. В голове — муть. Подъезжает паровоз. Но я хочу, чтобы вы меня поняли.

— Дружище Квак, ты устал. Тебе нужно отдохнуть. Выспишься — и все будет в порядке.

— Господин Катагири, у меня мутнеет в голове. Но если... я...

Слова покинули Дружища Квака, и он впал в кому. Почти до пола свисали его длинные лапы, плоский рот слегка приоткрылся. А Катагири напряг глаза и пригляделся: все тело огромной лягушки было покрыто ранами. Исполосованная бесцветными шрамами кожа, часть головы откушена...

Катагири долго смотрел на укутанного в толстую пелену сна Дружища Квака и решил для себя: выйдя из больницы, он непременно прочтет «Анну Каренину» и «Белые ночи» Достоевского. Чтобы потом можно было не спеша поговорить с Дружищем Кваком о литературе.

Спустя какое-то время Дружище Квак зашевелился. Катагири сначала подумал, что он ворочается во сне. Но не тут-то было. Дружище Квак зашевелился неестественно, будто сзади кто-то дергал за ниточки огромную игрушку. У Катагири перехватило дыхание. Что же будет дальше? Он хотел встать и поддержать Дружища Квака. Но все тело его затекло и не слушалось.

Вскоре над глазом Дружища Квака образовалась большая опухоль и стала расти. Затем опухоли появились на плече, под мышками, и вот уже все лягушачье тело стало сплошной язвой. Что произойдет дальше, Катагири даже представить себе не мог. Он, затаив дыхание, наблюдал.

Вдруг одна из язв с треском лопнула, кожица в том месте отскочила, потекла густая жидкость, разнеслась жуткая вонь. Вслед за первой начали лопаться и остальные язвы. Сразу из двадцати-тридцати мест стены окатила гнойная жидкость с липкими кусками кожи. Тесную палату окутал нестерпимый смрад. На месте язв открылись черные дыры, из которых наружу полезли разные личинки — большие и маленькие, вялые, белые. За ними последовали сороконожки — они противно перебирали своими бесчисленными лапками. Казалось, насекомым не будет конца. Тело Дружища Квака — то, что прежде им было, — все кишело этими тварями из мрака. Упали на пол два огромных глаза. Черные жуки с крепкими челюстями набросились на поживу. Полчища червей, будто наперегонки, устремились вверх по больничным стенам и вскоре захватили потолок. Они затмили собой свет лампы, проникли даже в противопожарный датчик.

Весь пол тоже устилали насекомые. Они облепили лампочку торшера, и комнату окутал мрак. Кровать они тоже не миновали. Сотни тварей забирались в постель Катагири, ползали по его ногам, проникали под пижаму, в пах. Маленькие личинки и черви набивались в задний проход, в уши, в нос. Сороконожки разжимали ему челюсти и одна за другой ныряли в глотку. Катагири в отчаянии закричал.

Щелкнул выключатель, палату залил яркий свет.

— Господин Катагири? — послышался голос медсестры. Он открыл глаза. Все тело было мокрым от пота, будто его окатили из ведра. Никаких насекомых — лишь тело зудит от их скользких прикосновений. — Опять кошмар? Бедненький вы.

Сестра быстро приготовила раствор и вколола ему в руку. Катагири сильно и глубоко вдохнул, затем выдохнул. Сердце колотилось.

— Что вам такое снится?

Где сон, где реальность — эту грань он уловить не мог.

— Не все то правда, что мы видим, — сказал сам себе Катагири.

— Точно, — улыбнувшись, подхватила медсестра. — Особенно, что касается снов.

— Дружище Квак, — пробормотал он.

— Что он такого сделал, этот ваш Дружище Квак?

— Он один спас Токио от землетрясения.

— Вот и славно, — согласилась медсестра и поменяла капельницу. — Вот и хорошо. Куда еще для Токио бед? Расхлебать бы то, что есть.

— Но Дружище Квак погиб и его больше нет. Или вернулся в муть. И больше сюда не придет.

Медсестра улыбнулась и промокнула лоб Катагири:

— Вы, кажется, любили этого самого Дружища Квака.

— Паровоз, — слабеющим языком произнес Катагири. — Сильнее всех.

Закрыл глаза и погрузился в тихий сон без сновидений.

Медовый пирог

1

— Медведь Масакити набрал столько меда, что есть — не переесть. Перелил его в ведерко, спустился с гор и пошел в город его продавать. Масакити был известным бортником.

— А откуда у медведя ведерко? — спросила Сара.

— Просто было и все. Валялось на дороге, вот он и подобрал. Подумал, когда-нибудь пригодится, — объяснил Дзюнпэй.

— Вот и пригодилось.

— Точно. Медведь Масакити пошел в город, приглядел на площади местечко, выставил табличку «Вкусный натуральный мед, полный стакан — 200 иен» и начал торговлю.

— Что, медведь умеет писать?

— *Ноу*. Писать медведи не умеют, — сказал Дзюнпэй. — Он попросил одного мужичка, стоявшего рядом. Тот и написал ему карандашом.

— А деньги считать он умеет?

— *Йес*. Деньги считать умеет. Масакити с детства жил у людей. Там и научился говорить и считать деньги. Он смышленый.

— Значит, он отличается от обычных медведей?

— Ага, от обычных немного, но отличается. Масакити — медведь особенный. Поэтому его сторонятся медведи неособенные.

— Что значит «сторонятся»?

— Ну, значит, говорят: «Смотри, кого он из себя строит» — и стараются с ним не дружить. Не могут с ним поладить. Особенно не любит Масакити дебошир Тонкити.

— Бедный Масакити.

— Действительно бедный. Хотя... по виду он медведь, но люди так не считают. Говорят: «Ты умеешь и деньги считать, и на человеческом языке говорить». Но ни те ни другие полностью своим его не признают.

— Бедный, бедный Масакити. А друзей у него нет?

— Друзей — нет. Медведь ведь в школу не ходит. Где же ему найти себе друзей?

— У Сары в садике друзья... есть.

— Конечно, — сказал Дзюнпэй, — конечно, у Сары есть друзья.

— А у Дзюн-тяна есть друзья? — Саре было лень произносить полное «дядя Дзюнпэй» и она звала его просто «Дзюн-тян».

— Папа Сары — мой самый лучший друг. И мама тоже очень хороший друг.

— Хорошо... когда есть друзья.

— Точно — сказал Дзюнпэй. — Хорошо, когда есть друзья. Твоя правда.

Дзюнпэй часто рассказывал Саре перед сном только что придуманные истории. Когда она чего-то не понимала — задавала вопросы. Дзюнпэй обстоятельно отвечал на каждый. Вопросы все как на подбор: острые и глубокие. Обдумывая ответ, Дзюнпэй выкраивал время, чтобы сочинить продолжение.

Саёко принесла дочери теплое молоко.

— История про медведя Масакити, — пояснила Сара матери. — Масакити известный бортник, но друзей у него нет.

— Масакити большой? — спросила у Сары Саёко. Та растерянно взглянула на Дзюнпэя:

— Масакити большой?

— Не то чтобы очень, — ответил Дзюнпэй. — Я бы даже сказал, мелковатый. Примерно с Сару. Характером спокойный. Панк и хард-рок не слушает. Любит в одиночестве наслаждаться Шубертом.

Саёко замычала «Форель».

— А как Масакити слушает музыку? У него что, есть компакт-диск-плейер? — спросила Сара у Дзюнпэя.

— Нашел где-то на земле магнитолу. Подобрал, принес домой.

— Что-то слишком много в лесу потерянных вещей... — с подозрением заметила Сара.

— Ну, там это... слишком крутой обрыв. У людей начинает кружиться голова, вот они и сбрасывают все лишнее. «Больше не могу. Тяжело. Сейчас умру. Зачем мне это ведро? И магнитола тоже». Вот так и лежат нужные вещи на дороге.

— Как я их понимаю, — сказала Саёко, — когда хочется все бросить.

— А Сара — нет.

— Потому что ты маленькая жадина, — сказала дочери Саёко.

— Никакая я не жадина, — запротестовала та.

— Это потому, что Сара еще маленькая и очень шустрая, — поправил Саёко Дзюнпэй. — Так, а теперь быстро пьем молоко. Выпьешь — буду рассказывать дальше.

— Хорошо, — ответила Сара, взяла в обе руки стакан с молоком и аккуратно его выпила. — Интересно, почему Масакити не печет медовый пирог и не продает его? Горожанам медовые пироги понравятся гораздо больше простого меда.

— Хорошая мысль! От пирогов больше дохода, — рассмеялась Саёко.

— Перекраиваем рынок в погоне за добавочной стоимостью. Из этого ребенка выйдет неплохой предприниматель, — сказал Дзюнпэй.

Сара улеглась снова, однако уснула только около двух. Дзюнпэй и Саёко убедились, что она уже спит, и пошли на кухню, где уселись на кухне друг напротив друга, разлив пополам банку пива. Саёко быстро хмелела, а Дзюнпэю еще предстояло ехать до своего района Ёёги-Уэхара.

— Извини, что потревожила тебя среди ночи, — сказала Саёко. — Но я на самом деле просто не знала, что делать. Совсем замаялась... А кто еще может успокоить Сару, кроме тебя? Кану звонить бесполезно.

Дзюнпэй кивнул, сделал глоток и отправил в рот крекер, лежавший на тарелке:

— Обо мне можешь не беспокоиться. Все равно я не сплю до рассвета. К тому же ночью дороги пустые — доберусь быстро.

— Работал?

— Да так...

— Рассказ сочинял?

Дзюнпэй кивнул.

— Продвигается?

— Как обычно. Сочиняю рассказ. Который напечатают в литературном альманахе. Который никто не будет читать.

— Я читаю все твои рассказы.

— Спасибо. Ты добрая, — сказал Дзюнпэй. — Но раз уж мы об этом заговорили, знаешь, сама форма рассказа чем дальше, тем быстрее устаревает, как несчастная логарифмическая линейка. Но это ладно. Давай поговорим о Саре. С ней такое раньше бывало?

Саёко кивнула:

— Если бы только «бывало». Почти каждый день: просыпается среди ночи и закатывает истерику. Вся дрожит. И ревет, как ни успокаивай. Сил моих больше нет.

— Как думаешь, в чем причина?

Саёко допила пиво и в упор посмотрела на опустевший стакан.

— По-моему, насмотрелась новостей о землетрясении. Для четырехлетнего ребенка они чересчур. И просыпаться по ночам стала как раз после того, как закончились толчки. Сара говорит, что к ней приходит какой-то незнакомый дядька. Дядька-землетряс. Якобы он будит ее, чтобы посадить в маленькую коробочку. А там такая коробочка, что человеку никак не поместиться. И вот Сара упирается изо всех сил, а он тянет ее за руку и давай засовывать — только кости хрустят. Тут Сара кричит и просыпается.

— Дядька-землетряс?

— Да, долговязый такой и старый. Сара как увидит его, включает везде свет и начинает искать по всему дому: в шкафах, на обувной полке, под кроватью, в выдвижных ящиках. Я говорю ей, что это сон, но она не верит. И засыпает только после того, как убедится, что тот нигде не прячется. Но это — минимум через два часа. А мне после этого уже не до сна. Уже шатает от хронического недосыпа. О работе вообще молчу.

Саёко так откровенничала нечасто.

— Старайся, чтобы она не смотрела новости, — сказал Дзюнпэй. — И вообще лучше какое-то время совсем не подпускать ее к телевизору. Сейчас по всем каналам сплошное землетрясение.

— Да мы почти и не смотрим. Но уже не помогает. Все равно дядька-землетряс ее в покое не оставляет. Ходили к врачу, а тот лишь выписал что-то успокоительное, вроде снотворного.

Дзюнпэй задумался.

— Если хочешь, давай в воскресенье сходим в зоопарк. Сара хочет разок взглянуть на настоящего медведя.

Саёко прищурилась и посмотрела в лицо Дзюнпэю:

— Хорошая мысль. Может, хоть как-то на нее повлияет. Давно мы никуда не ходили вчетвером. Позвонишь Кану сам, ладно?

Дзюнпэю тридцать шесть. Он родился в городе Нисиномия префектуры Хиого. Вырос в тихом квартале на берегу реки Сюкугава. Отец его владел двумя магазинами часов и ювелирных изделий в Осаке и Кобэ. Есть сестра на шесть лет младше. Окончив частную школу в Кобэ, он выдержал экзамен сразу на два факультета, коммерческий и филологический, но, не колеблясь ни минуты, выбрал последний, однако при этом соврал родителям, что поступил на экономический. Родители на изучение литературы денег бы не дали. Дзюнпэй не хотел пускать четыре года на ознакомление с экономической системой коту под хвост. Он хотел изучать литературу, иными словами — стать писателем.

На общеобразовательном курсе он завел себе друзей. Первый — Кан Такацуки, вторая — Саёко. Такацуки родом из Нагано, в старших классах был капитаном футбольной команды. Высокий и широкоплечий. Поступил лишь со второго раза и был на год старше Дзюнпэя. Парень реалистичный и решительный, располагал к себе людей, попадая в группу, он как-то само собой становился в ней лидером, и только одно давалось ему с трудом — чтение книг. На филологический поступил лишь потому, что провалился на всех остальных факультетах.

— Ну и ладно, — с уверенностью в голосе говорил он, — стану журналистом, научусь писать статьи.

Чем он привлек внимание Такацуки, Дзюнпэй понятия не имел. Как только выдавалось свободное время, Дзюнпэй уединялся в своей комнате, где мог до бесконечности читать книги и слушать музыку. Спортом не занимался, покой — вот его стихия. Людей он сторонился и обширными знакомствами похвастаться не мог. Поэтому интересно, с какой стати Такацуки, едва увидев его, решил с ним подружиться? Он окликнул Дзюнпэя, слегка похлопал его по плечу и предложил где-нибудь вместе пообедать. Так они в один день стали друзьями не разлей вода.

Дзюнпэй и он примерно так же познакомились и с Саёко. Слегка похлопали по плечу и предложили втроем пообедать. Так у них возникла небольшая тесная компания. Они всё делали втроем: списывали друг у друга конспекты, обедали в университетской столовой, в кафе между лекциями болтали о будущем. Подрабатывали в одном месте, вместе смотрели кино в ночных кинотеатрах, ходили на рок-концерты и просто бесцельно бродили по Токио, напивались до чертиков в пивбарах, одним словом — занимались всем, что не чуждо первокурсникам всего мира.

Саёко родом была из Асакусы[1]. Ее отец держал магазин аксессуаров кимоно, который его предки не одно поколение передавали по наследству. Его клиентами были известные актеры театра кабуки. Старшему из двух ее братьев достался этот семейный бизнес, а младший работал в проектном бюро. Перед поступлением в университет Васэда Саёко окончила Восточный женский колледж английского языка. В университете она тоже выбрала филологию — хотела и дальше исследовать англоязычную литературу. Много читала. Дзюнпэй и Саёко часто обменивались книжками и всегда горячо обсуждали прочитанное.

У нее были красивые волосы и умные глаза. Разговаривала она плавно, спокойно и прямо, но стержень в ней чувствовался. Об этом красноречивее слов говорил жесткий рот. Одевалась просто, не красилась, да и вообще ее нельзя было счесть девушкой привлекательной, однако чувством юмора она обладала бесценным и когда шутила, на лице ее мелькала плутовская улыбка. Дзюнпэю в такие минуты очень нравилось ее лицо. Он был уверен, что Саёко — именно та женщина, которую он искал. До встречи с нею он не влюблялся ни разу. В школе для мальчиков не так-то много шансов свести знакомство с девчонками.

Однако раскрыть Саёко свои чувства Дзюнпэй так и не смог. Боялся: слово — не воробей. А вдруг он потеряет Саёко навсегда? Но даже если и нет, баланс отношений в их троице нарушится непоправимо. Пусть пока все будет как есть, думал Дзюнпэй. Посмотрим, что из этого выйдет.

1 Асакуса — исторический квартал Токио, известный главным буддистским храмом города и кварталами мастеровых.

Первым начал действовать Такацуки.

— Неудобно обращаться к тебе с таким разговором как-то вдруг, — сказал он Дзюнпэю, — но мне нравится Саёко. Ты как, не против?

Разговор об этом зашел в середине сентября. Пока Дзюнпэй ездил на летние каникулы в Кансай, между ними все и случилось, пояснил Такацуки.

Дзюнпэй пристально вгляделся в лицо друга. Смысл до него дошел не сразу. И вдруг ему стало очень тяжело — как от свинцового грузила. Выбора уже не оставалось.

— Не против.

— Ну и хорошо, — улыбнулся Такацуки. — Как-никак и тебя это касается. Не хотелось, чтобы мое решение повлияло на нашу дружбу. Но это, Дзюнпэй, рано или поздно все равно произошло бы. Пойми, не сейчас, так когда-нибудь это все равно должно было произойти. Думаю, друзьями мы втроем быть не перестанем, верно?

Несколько следующих дней Дзюнпэй был сам не свой: не ходил на занятия, пропускал работу, вообще не выходил из своей шеститатамной[1] комнатушки: подъедал оставшиеся в холодильнике продукты, а иногда, словно опомнившись, набрасывался на алкоголь. Всерьез подумывал бросить университет. Уехать далеко-далеко в незнакомый город с незнакомыми людьми, где можно будет истязать себя тяжким физическим трудом, а потом и вообще поставить точку в собственной одинокой жизни. Так, пожалуй, будет лучше всего, считал он.

Через пять таких дней к нему пришла Саёко. На ней были темно-синяя фуфайка и белые хлопковые брюки, а волосы она сколола на затылке.

[1] Около 9 кв. м.

— Почему ты не ходишь в школу? Все уже беспоко-
ятся — может, ты умер там в своей квартире? Вот Кан и
отправил меня посмотреть. Сам он трупов не перено-
сит... как оказалось.

— Мне было плохо, — ответил Дзюнпэй.

— Еще бы — так исхудал, — присмотревшись к нему,
сказала Саёко. — Давай что-нибудь приготовлю?

Дзюнпэй покачал головой:

— У меня нет аппетита.

Саёко отворила дверцу холодильника и, заглянув
внутрь, скривилась: внутри стояли две одинокие банки
пива, лежал скукоженный огурец и какой-то дезодорант.
Девушка присела рядом с Дзюнпэем.

— Слышишь, Дзюнпэй, я не знаю, как сказать. Ты
ведь не сердишься на нас с Каном, да?

— Не сержусь, — ответил Дзюнпэй.

И это правда: он не обижался и не сердился. Если и
сердиться на кого — только на себя. Разумеется, они стали любовниками. И это вполне естественно. Такацуки на
это способен, а он сам — нет.

— Можно я налью себе пива? — спросила Саёко.

— Давай.

Саёко достала из холодильника банку и разлила ее
по двум стаканам. Один протянула Дзюнпэю. Они молча выпили. Саёко заговорила:

— Послушай, мне как-то неловко об этом говорить.
Но мы ведь останемся друзьями, правда? Не только сейчас, но и потом, когда состаримся. Мне нравится Кан,
но в каком-то смысле мне нужен и ты. Извини за такие
слова.

Дзюнпэй толком не понял, но кивнул — на всякий
случай.

— Что-то понимать и делать так, чтобы это было видно, — разные вещи. Если осилишь и то и другое, жизнь станет легче, — продолжала Саёко.

Дзюнпэй взглянул на ее профиль. Что она хочет этим сказать, понять он был не в силах. И лишь думал про себя: ну почему я такой нерасторопный? Он задрал голову к потолку и бессмысленно рассматривал там какое-то пятно.

Как бы все сложилось, признайся он в любви Саёко раньше? Даже представить себе трудно. Он знал лишь один факт: этого бы не произошло, как ни старайся.

Было слышно, как капают на татами слезы. До странности громко. На мгновение Дзюнпэю показалось, что плачет он сам. Но плакала Саёко. Уткнулась лицом в коленки, а плечи ходят ходуном.

Дзюнпэй машинально протянул руку и положил ей на плечо. Затем тихонько прижал ее к себе. Девушка не сопротивлялась. Он обхватил ее за талию, прижался ртом к ее губам. Она закрыла глаза, и губы ее подались. Дзюнпэй ощущал солоноватый запах ее слез, дышал ее дыханием, грудью чувствовал мягкость грудей Саёко. Казалось, в сознании щелкнул какой-то рубильник. Дзюнпэй даже звук его услышал. Будто скрипнули все суставы мира. Но и только. Саёко, словно опомнившись, опустила голову и оттолкнула его.

— Нет, — тихо сказала она и замотала головой. — Так нельзя.

Дзюнпэй извинился. Саёко ничего не ответила. Так они и сидели некоторое время. Через открытое окно ветерок принес к ним отзвуки радио. Какую-то популярную мелодию. Наверное, эту песню я не забуду до самой смерти, — пронеслось у Дзюнпэя в голове. Однако уже спустя несколько дней он, как ни силился, не смог вспомнить ни названия, ни мелодии.

— Тебе не за что извиняться. Ты ни в чем не виноват, — сказала Саёко.

— Похоже, я совсем запутался, — честно признался Дзюнпэй.

Саёко протянула руку и положила поверх его:

— Ты же пойдешь завтра в школу? У меня никогда раньше не было таких друзей, как ты. Ты мне очень нужен. Пойми хотя бы это.

— Но разве только этого достаточно?

— Не в этом дело, — в отчаянии вымолвила Саёко, опустив голову. — Я не об этом.

На следующий день Дзюнпэй пришел на занятия. С Саёко и Такацуки они дружили до самого выпуска. Как ни странно, Дзюнпэю больше не хотелось никуда исчезать. Стоило ему тогда обнять и поцеловать Саёко, и что-то в нем успокоилось. По меньшей мере, сомневаться больше не в чем, думал он. Решение уже принято. Путь даже это решение кто-то принял за него.

Саёко познакомила Дзюнпэя со своими одноклассницами, и они время от времени устраивали свидания вчетвером. С одной из них Дзюнпэй впервые и переспал. Было это незадолго до его двадцатилетия[1]. Но душою к той девушке он не лежал. Его сердце принадлежало другой. Дзюнпэй всегда обращался с подругой вежливо, нежно и учтиво, но ни разу не был с нею пылок, не отдавая ей себя всего. Он был пылок и отдавал себя всего только своим рассказам. Девушка вскоре на-

[1] В 20 лет японская молодежь считается достигшей совершеннолетия.

шла тепло в другом месте и покинула его. Так повторялось несколько раз.

Лишь после университета родители узнали о том, что сын окончил филологический факультет, и разорвали с ним всякие отношения. Отец хотел, чтобы наследник вернулся на родину в Кансай и принял его дело, но у Дзюнпэя даже в мыслях этого не было. Он заявил, что останется в Токио и станет писателем. Дело закончилось грандиозным скандалом. С уст несколько раз сорвалось то, что обычно срываться не должно. Встреча эта оказалась последней — с тех пор они с семейством не виделись. Дзюнпэй считал, что их отношения с самого начала оставляли желать лучшего. В отличие от умевшей подстраиваться под настроение родителей младшей сестры, Дзюнпэй с детских лет противился их воле.

— Что ж, выходит, разрыв, — только ухмыльнулся он. Совсем как писатель эры Тайсё.

Дзюнпэй не стал устраиваться на работу. Он кормился небольшими подработками, а все остальное время сочинял рассказы. В ту пору, заканчивая очередное произведение, он первым делом показывал его Саёко. Выслушивал, что она ему откровенно скажет. И, следуя ее советам, правил черновик. Он по несколько раз терпеливо переписывал текст, пока не слышал от нее: «Вот теперь хорошо». У него не было ни учителей, ни коллег. И лишь советы Саёко служили ему слабеньким маяком.

Когда ему исполнилось двадцать четыре, один его рассказ получил приз литературного журнала для начинающих авторов, после чего его выдвинули на премию Акутагавы. За пять последующих лет его номинировали на эту премию четыре раза, что само по себе говорило о приличных успехах. Но в конечном итоге так ничего и не завоевал, оставшись вечным многообещающим номинантом.

«Для начинающего писателя такого возраста уровень текста приличный, что-то есть в описании сцен, характеров, но местами просматривается тенденция сентиментальных отступлений, скрадывается повествовательная перспектива рассказа, теряется свежесть», — часто писали рецензенты. Такацуки читал эти рецензии и хохотал:

— У них там с головой не все в порядке. Что такое «повествовательная перспектива рассказа»? Разве нормальный человек будет козырять такими словами? Так можно договориться до «скрадывания говяжьей перспективы в сукияки».

На самом пороге четвертого десятка Дзюнпэй выпустил два сборника рассказов. Первый — «Лошадь под дождем», второй — «Виноград». «Лошадь» разошлась тиражом десять тысяч экземпляров, «Виноград» — уже на две тысячи больше. Его редактор заметил, что для сборников короткой прозы молодого автора «чистой литературы» это показатель неплохой. Газетная и журнальная критика оказалась положительной, но энергичной поддержки замечено не было.

Основной темой рассказов Дзюнпэя была безответная любовь молодых. Финал, как правило, — мрачный, даже в чем-то сентиментальный. «Придумает же», — говорили люди. Но ни в какое модное литературное течение его произведения, разумеется, не вписывались. Стиль у него был лирическим, сюжеты — старомодными. Читатель его поколения жаждал куда более изобретательных форм и историй. Чего вы хотите — времена рэпа и компьютерных игр. Редактор не раз предлагал ему попробовать себя в жанре романа. Продолжай писать одни рассказы — и хочешь не хочешь, пойдут повторы, оскудеет сам литературный мир писателя. Роман в такой ситуации часто дарит совершенно другой взгляд на мир. Фактически роман куда сильнее рассказа способен привлечь к себе внимание. И если хочешь продолжать писать профессионально, специализироваться в жанре рассказа будет непросто. Причина очевидна: сочинением одних рассказов жить нелегко.

Однако Дзюнпэй был прирожденным сочинителем рассказов. Он запирался в комнате, отбрасывал все лишнее и, затаив в тишине дыхание, за три дня писал черновик. Затем четыре дня правил его, после чего, естественно, давал прочесть Саёко и редактору. По нескольку раз переписывал, шлифовал шероховатости. Но судьба рассказа по сути решалась именно в первую неделю. Все важное нужно было облечь в форму именно в этот период. Такая работа была ему по душе. Предельная собранность в короткий промежуток времени. Рафинированные образы и слова. Но стоит взяться за роман — и он окажется не в своей тарелке. Как я смогу несколько месяцев, а то и целый год концентрировать внимание, управлять им? — думал Дзюнпэй. Настроиться на такой ритм он не мог.

После нескольких провальных попыток написать роман он отступился. Хотелось ему того или нет, но его призвание — рассказ. Рассказ — вот его стиль. Как ни старайся, в чужую шкуру не влезешь. Талантливый вратарь никогда не станет хорошим нападающим.

Дзюнпэй по-прежнему жил одиноко, и жизнь эта не требовала больших расходов. Брал он столько работы, чтобы хватало лишь на прокорм. Держал молчаливую трехцветную кошку. Иногда заводил нетребовательных подружек, а когда и они ему надоедали, отыскивал причину, чтобы расстаться. Иногда, примерно раз в месяц,

Дзюнпэй просыпался среди ночи в совершенном ужасе: он осознавал — как ни рой землю, от судьбы никуда не денешься. В такие минуты он либо до посинения работал, либо так же до посинения пил. А в остальном вел спокойную безбедную жизнь.

Такацуки же, как и мечтал, поступил на работу в престижную газету. Учился он постольку-поскольку, поэтому успехами особо похвастать не мог, но произвел неизгладимое впечатление на собеседовании. Комиссия приняла по нему единогласное решение. Саёко тоже, как и планировала, поступила в аспирантуру. Через полгода после выпуска они поженились. Свадьба прошла в духе Такацуки: пышно и шумно. В свадебное путешествие молодые отправились во Францию. Прямо «попутный ветер в паруса». Затем купили двухкомнатную квартиру в районе Коэндзи[1]. Два-три раза в неделю приезжал в гости Дзюнпэй, и они вместе ужинали. Молодые радовались каждому его приезду. Казалось, они получают больше удовольствия не от своей интимной жизни, а от времени, проведенного с ним.

Такацуки наслаждался своей журналистской работой. Первым делом его определили в отдел городских новостей, и он едва поспевал от одного места происшествия к другому. Насмотрелся на всевозможные трупы и, по собственному признанию, перестал что-либо ощущать от их вида. Ему приходилось видеть трупы, раздавленные машинами и разрезанные поездами, обгоревшие, полуистлевшие, жуткого цвета раздутые тела

---

1 Коэндзи — жилой квартал вокруг одноименного буддистского храма в трех станциях от терминала Синдзюку. Известен тем, что сёгун Токугава устраивал в его окрестностях соколиную охоту, во время которой посещал этот храм.

утопленников, с простреленными мозгами, расчлененные топором. «При жизни люди чем-то отличаются, а мертвые все однолики — отработанная плоть».

Нередко он возвращался домой с работы лишь под утро. В такие дни Саёко часто звонила Дзюнпэю. Она знала, что до утра он никогда не спит.

— Ты сейчас занят? Можешь поговорить?

— Конечно. Я как раз перекуривал, — всегда уверял ее Дзюнпэй.

И они болтали о недавно прочитанных книгах, о своей жизни. Иногда касались и прошлого. Вспоминали молодость, когда были свободны и могли себе позволять беспорядок и глупости. О будущем почти не говорили. За этими разговорами Дзюнпэй рано или поздно вспоминал, как он когда-то обнимал Саёко. Ее свежие губы, запах слез, мягкость грудей — все это будто произошло совсем недавно. Он даже видел те прозрачные осенние лучи солнца, впивавшиеся в татами его комнаты.

Саёко едва исполнилось тридцать, когда она забеременела. В ту пору она работала ассистенткой в университете, ушла в декрет и родила девочку. Втроем они придумывали ребенку имя и остановились на том, что предложил Дзюнпэй: Сара. «Сара — звучит великолепно», — сказала Саёко. В ночь после благополучных родов Дзюнпэй и Такацуки выпивали, сидя друг против друга в квартире, одни, без Саёко. Давно они так не сидели — за столом на кухне. И вскоре бутылка виски, которую Дзюнпэй принес в подарок, опустела.

— Почему время летит так быстро? — расчувствовавшись, сокрушался Такацуки, что случалось с ним редко. — Кажется, ведь совсем недавно поступил в университет. Там познакомился с тобой, с Саёко... А уже и дети пошли. Я стал папашкой. Как ускоренное кино. Какое-то странное ощущение. Но тебе такое вряд ли понять. Ты живешь словно еще в студенчестве. Даже завидно.

— Чему здесь завидовать?

Но Дзюнпэй понимал, что Такацуки имел в виду. Саёко стала матерью. Это и Дзюнпэя ошеломило. Он в очередной раз понял, что колесо жизни крутится вперед, и прошлого уже не вернуть. Как к этому всему относиться, Дзюнпэй толком не знал.

— Только между нами: думаю, Саёко с самого начала ты нравился больше, — сказал Такацуки. Он был сильно пьян. Но в глазах сверкала непривычная строгость.

— Не может быть, — рассмеялся в ответ Дзюнпэй.

— А вот и может! Мне лучше знать. Хотя ты этого не понял. Писать красивые прочувствованные тексты ты умеешь, но в женском настроении разбираешься хуже утопленника. Как бы там ни было, мне нравилась Саёко. С ней никто не мог сравниться и променять ее ни на кого нельзя. Мне оставалось только одно — заполучить ее. Я по-прежнему считаю ее лучшей женщиной в мире. Или ты думаешь, что у меня не было на нее никаких прав?

— Кто спорит, — ответил Дзюнпэй.

Такацуки кивнул:

— Но ты по-прежнему ничего не понимаешь. Почему? Потому что ты — неисправимый идиот. Хотя какая в том разница, дурак или нет. Главное, чтобы человеком хорошим был. Вот — придумал имя для моей дочери.

— При этом самое важное я так и не понял?

— Точно. При этом самое важное ты так и не понял. Ни-че-го. А еще писатель.

— Ну, рассказы тут, положим, ни при чем.

— Вот, теперь нас стало четверо, — слегка вздохнул Такацуки. — Как ты считаешь, четыре[1] — нормальное число?

2

О крахе отношений между Такацуки и Саёко Дзюнпэй узнал накануне третьего дня рождения Сары. Об этом ему как бы виновато призналась сама Саёко. Она была еще беременна, когда муж завел себе любовницу. А теперь домой он почти не приходил. Любовница — его коллега. Но как подробно ни объясняла Саёко, Дзюнпэй не смог понять, зачем Такацуки нужно было заводить женщину на стороне. Разве не он заявил в ночь рождения Сары, что Саёко — лучшая женщина в мире. Казалось, он говорил эти слова от всего сердца. Вдобавок Такацуки до беспамятства любил дочь. Зачем при этом было бросать семью?

— Я часто приходил к вам на ужин. Ведь так? Но при этом ничего не замечал. Вы казались счастливой, чуть ли не идеальной семьей.

— Так-то оно так, — мягко улыбалась Саёко. — Но мы не врали и комедию не разыгрывали. Хотя — что из того? Теперь у него есть она, и к прошлому возврата нет. Вот мы и решили разойтись. Только ты не принимай все это близко к сердцу. Так оно будет лучше. В разных смыслах.

Она сказала: «В разных смыслах». Как все-таки мир полон труднообъяснимых слов, подумал Дзюнпэй.

1 Четыре — по-японски «си». Также это слово означает «смерть».

145

Через несколько месяцев Саёко и Такацуки разошлись официально. Между ними оставалось несколько разных соглашений, но в целом расстались они без эксцессов. Ни обмена упреками, ни разногласий в требованиях. Такацуки ушел из дому и стал жить с любовницей, Сара осталась с матерью[1]. Раз в неделю Такацуки приезжал к Саре в Коэндзи. С общего согласия и по мере возможности при этом присутствовал Дзюнпэй. Проще ли так было? Сам Дзюнпэй считал, что он как-то сразу постарел, хотя ему едва исполнилось тридцать три.

Сара звала Такацуки «папой», Дзюнпэя — «Дзюнтяном». Вчетвером у них получалась словно какая-то псевдо-семья. Когда они встречались, Такацуки обычно болтал без умолку, Саёко выглядела так, будто ровным счетом ничего не произошло. Дзюнпэю казалось, что она ведет себя естественнее, чем раньше. Что родители развелись, Сара пока не осознавала. Дзюнпэй безупречно выполнял отведенную ему роль. Они, как и прежде, обменивались шутками, вспоминали прошлое. Дзюнпэй понимал лишь одно: это необходимо для них всех.

— Слышишь, Дзюнпэй, — сказал как-то на обратном пути Такацуки. Январская ночь, изо рта шел пар. — Тебе есть на ком жениться?

— Нет, — ответил он.

— А постоянная девчонка хоть имеется?

— Думаю, нет.

— Что если тебе сойтись с Саёко?

Дзюнпэй посмотрел на него, как на что-то ослепительное:

---

1   В Японии во время развода, как правило, мать не может забрать себе детей.

146

— Что с тобой?

— Что значит — «что с тобой»? — Такацуки в свою очередь удивился еще больше. — Неужели не ясно? Кто, кроме тебя, может стать отцом для Сары?

— И только? Ради этого мне жениться на Саёко?

Такацуки вздохнул и опустил на плечо Дзюнпэя мощную руку.

— Что, не хочешь на ней жениться? Занять мое место не хочешь?

— Я не в этом смысле. Я просто думаю — неужели можно уладить это, будто какую-нибудь сделку? Это вопрос порядочности.

— Никакая это не сделка, — сказал Такацуки. — И порядочность тут ни при чем. Тебе нравится Саёко? Дальше — Сару ты любишь? Разве нет? Или и это не самое главное? Пожалуй, ты думаешь как-то на свой лад. Это понятно. Но, по-моему, ты лишь собираешься снять трусы, не снимая брюк.

Дзюнпэй молчал. Умолк и Такацуки. Молчал долго, что ему совсем не свойственно. Так, выдыхая белым паром, шагали они вместе на ближайшую станцию.

— В любом случае, ты круглый дурак, — сказал напоследок Дзюнпэй.

— Может, ты и прав, — согласился Такацуки. — Если честно, ты и в самом деле прав. Не спорю. Я сам испоганил свою жизнь. Но тут уж, Дзюнпэй, ничего не попишешь. Остановиться было никак не возможно. Я сам не знаю, почему все так произошло. И не спрашивай. Произошло и все тут. Не сейчас — где-то когда-то такое уже происходило.

Дзюнпэй подумал, ему приходилось и раньше слышать эти слова.

— Разве не ты говорил мне в ночь, когда родилась Сара, что Саёко — самая прекрасная женщина в мире? Помнишь? Женщина, которую нельзя ни на кого променять.

— Это по-прежнему так. В этом смысле ничего не изменилось. Но именно поэтому есть в этом мире такие вещи, которые не удаются.

— Я не понимаю, о чем ты.

— Тебе этого никогда не понять, — сказал Такацуки. И покачал головой. Поставил точку в этом диалоге именно он.

После развода минуло два года. В университет Саёко больше не вернулась. Дзюнпэй попросил одного знакомого редактора, и ей дали кое-какую работу с переводами. Дело заспорилось. Помимо лингвистического таланта, она хорошо владела слогом. Работу выполняла быстро и аккуратно. Результат на редактора произвел такое впечатление, что через месяц ей доверили уже литературный перевод. Гонорар небольшой, но если прибавить алименты Такацуки, на безбедную жизнь матери с ребенком хватало вполне.

Они по-прежнему собирались раз в неделю и вместе с Сарой где-нибудь обедали. Бывало, у Такацуки возникали срочные дела, и он не приходил. В такие дни Саёко, Дзюнпэй и Сара обедали втроем. Без Такацуки все проходило тихо и как-то буднично. Со стороны они казались самой что ни на есть семьей. Дзюнпэй продолжал идти своим путем. В тридцать пять выпустил четвертый сборник рассказов «Молчаливая луна», за который получил премию. По заглавному рассказу решили снять фильм. В перерывах между рассказами он выпустил несколько томиков музыкальных рецензий, написал книжку по теории садоводства, перевел сборник Джона Апдайка. Каждая его работа имела успех. У него был собственный стиль и он мог простыми и убедительными словами легко передавать глубокие отголоски звука, еле заметные оттенки света. У него возник свой круг читателей, устоялся доход; постепенно Дзюнпэй утвердился в качестве профессионального автора.

Он серьезно подумывал сделать Саёко предложение. Случалось, он размышлял об этом всю ночь напролет, наступало утро, а он все не мог уснуть. Бывало, работа валилась из рук. Но даже при этом окончательно решиться он так и не мог. Если задуматься, его отношения с Саёко с самого начала были кем-то предопределены. Его позиция так и осталась пассивной, ведь познакомил их между собой не кто иной, как Такацуки. Это он выделил их из всего курса, это он сколотил их троицу. А потом взял себе Саёко, женился, сделал ребенка, развелся. И сейчас предлагает жениться на Саёко ему, Дзюнпэю. Конечно, Дзюнпэй любил Саёко. Даже и спрашивать нечего. Сейчас идеальный шанс связать с ней свою жизнь. Пожалуй, она вряд ли откажется от такого предложения. Тоже очевидно. Но уж слишком все складывается хорошо, считал сам Дзюнпэй. Не задуматься об этом он не мог. Что подводит его к решению? Он по-прежнему сомневался. Так и не в силах решиться. И вот... землю залихорадило.

Когда это произошло, Дзюнпэй был в Испании — собирал в Барселоне материалы для журнала некой авиакомпании. Вернувшись вечером в гостиницу, он включил телевизор и в новостях увидел кадры разрушенного города, клубы черного дыма над ним. Словно после бомбежки. Диктор говорил по-испански, и Дзюнпэй не сразу понял, что это за город. Судя по всему — Кобэ. На глаза попалось несколько знакомых пейзажей. В районе города Асия завалилась скоростная автострада.

— Господин Дзюнпэй, вы, кажется, из пригорода Кобэ? — спросил работавший с ним фотограф.

— Да.

Но домой он звонить не стал. Слишком уж долгим и глубоким оказался разрыв между ним и родителями, чтобы сохранились какие-то шансы на возобновление отношений. Дзюнпэй сел в самолет и вернулся в Токио — к своей обычной жизни. Телевизор не включал, газеты почти не открывал. Заходил разговор о землетрясении — замолкал. Для него все это было отголосками давно похороненного в душе прошлого. Окончив университет, он больше ни разу в свой город не возвращался. Однако возникавшие на экране пейзажи разрушений оголяли незажившую в глубине его сердца рану. Гигантское и смертоносное бедствие незаметно, но кардинально изменило весь стиль его жизни. Дзюнпэй чувствовал отчужденность, небывалую до сих пор. Во мне нет корней, думал он. Вот ни к чему и не тянет.

Рано утром в тот день, когда они договорились пойти в зоопарк, позвонил Такацуки. Срочно понадобилось лететь на Окинаву. Ему устроили эксклюзивное интервью с губернатором этой префектуры. Тот наконец согласился уделить один час.

— Извини, но сходите в зоопарк без меня, — сказал он Дзюнпэю. — Медведь не обидится, если я не приду.

И Дзюнпэй пошел в зоопарк с Саёко и Сарой. Посадив Сару себе на шею, показал ей медведей.

— Это и есть Масакити? — спросила Сара, тыча пальчиком в большого, черного как смоль гималайского медведя.

— Нет, не Масакити. Тот будет поменьше, и морда у него смышленей. А это — дебошир Тонкити.

— Эй, Тонкити! — несколько раз крикнула Сара медведю. Но медведь ее не замечал. Сара посмотрела на Дзюнпэя и попросила: — Дзюн-тян, расскажи еще о Тонкити.

— Вот беда. Если честно, интересных историй о Тонкити мало. Медведь он заурядный. В отличие от Масакити, деньги считать и говорить на человеческом языке не умеет.

— Но хоть что-то хорошее в нем есть?

— Есть-то есть, — сказал Дзюнпэй. — Ты права. В любом заурядном медведе есть хоть что-то хорошее. Да, кстати, забыл. Этот самый *Тонтики*...

— Может, Тонкити? — нетерпеливо поправила Сара.

— Извини... этот Тонкити умел мастерски ловить рыбу. Он прятался, стоя в реке за скалой, и ловил. А это могут делать только расторопные медведи. Тонкити особо умным назвать нельзя, но рыбы он ловил больше всех остальных медведей. Так много, что всю не переесть. Но по-человечески не говорил, поэтому пойти в город ее продавать тоже не мог.

— Но тут же все просто, — удивилась Сара. — Он мог бы меняться с Масакити на мед. Ведь у Масакити его тоже столько, что не переешь.

— Верно. Именно так. Тонкити подумал точно так же, как Сара. Они начали менять рыбу на мед и лучше узнали друг друга. Выяснилось, что Масакити совсем не задавака, а Тонкити совсем не дебошир. Так они и подружились. Когда встречались, разговаривали о том о сем. Рассказывали друг другу, что знали сами, обменивались анекдотами. Тонкити изо всех сил ловил рыбу, Масакити из всех сил собирал мед. Но вот однажды — как гром среди ясного неба — из реки пропала вся рыба.

— *Среди ясного неба*?

— Как гром среди ясного неба. То есть внезапно, — пояснила Саёко.

— Выходит, рыба вся вдруг пропала, — огорчилась Сара. — Почему?

— Вся рыба мира собралась на сходку и порешила в ту реку больше не заходить. Еще бы — там живет маститый рыболов Тонкити. С тех пор Тонкити не поймал ни одной рыбины. Лишь изредка попадалась какая-нибудь исхудалая лягушка. Делать было нечего. Что в мире может быть хуже исхудалой лягушки?

— Бедный Тонкити, — сказала Сара.

— И что, его отправили в зоопарк? — поинтересовалась Саёко.

— О, это долгая история, — сказал Дзюнпэй и откашлялся.

— Но, в общем, так оно и было, да?

— И что, Масакити ему не помог? — спросила Сара.

— Конечно, он пытался помочь. Они ведь друзья не разлей вода. Друзья для того и нужны. И вот Масакити решил поделиться медом даром. Тонкити на это ответил: «Так не годится. Не стоит меня баловать». А Масакити сказал: «Мы же не чужие друг другу. Будь я на твоем месте, ты бы поступил так же. Разве я не прав?»

— Точно, — удовлетворенно кивнула Сара.

— Но долго это не продолжалось, — вставила Саёко.

— Долго это не продолжалось, да, — сказал Дзюн-пэй. — Тонкити сказал: «Мы должны оставаться с тобой друзьями. Когда один только дает, а второй — получает, это уже не настоящая дружба. Я уйду из лесу, дружище Масакити. Испытаю себя еще раз на новом месте. Встретимся когда-нибудь с тобой, опять станем друзьями». Так они пожали друг другу лапы и расстались. Но стоило Тонкити выйти из лесу, как он, глупый, попался в западню охотника. Так он лишился свободы и очутился в зоопарке.

— Бедный Тонкити.

— А другого способа не было? Чтобы все жили счастливо? — спросила потом Саёко.

— Пока не придумал.

В тот воскресный вечер они втроем ужинали у нее на Асагая. Саёко, напевая «Форель», варила спагетти, размораживала томатный соус. Дзюнпэй готовил салат из фасоли и репчатого лука. Они открыли вино, налили по бокалу. Сара пила апельсиновый сок. Прибрав со стола, Дзюнпэй опять читал Саре книжку с картинками. А когда закончил, ей уже пришла пора спать. Но спать Саре не хотелось.

— Мама, сними лифчик! — сказала она матери. Та покраснела:

— Нет. Что ты такое говоришь при госте?

— Странно. Какой же Дзюн-тян гость?

— В чем дело? — спросил Дзюнпэй.

— Да так, один глупый трюк.

— Мама снимает лифчик прямо под одеждой, кладет его на стол и опять надевает. Одной рукой, а вторая лежит на столе. На время. У мамы здорово получается.

— Ну ты даешь, Сара, — проворчала Саёко, качая головой. — В такие игры мы с тобой одни играем. Что же ты выдаешь семейные секреты?

— Звучит захватывающе, — сказал Дзюнпэй.

— Мама, пожалуйста, покажи Дзюн-тяну. Ну хотя бы разик. Покажешь — сразу пойду спать.

— Что с тобой поделать? — сказала Саёко. Сняв с руки электронные часы, она передала их Саре.

— И сразу пойдешь спать. Считай по команде: «начали». — На Саёко был толстый черный свитер без ворота. Она положила обе руки на стол и скомандовала: — Раз... два... три... начали!

Первым делом она втянула руку через рукав свитера — как черепаха. Будто решила почесать себе спину. Вынув руку правую, теперь она проделала то же самое левой. Слегка повернула голову и вынула левую руку из рукава. В кулаке был зажат белый лифчик. Маленький, без косточек. Саёко перехватила его и опять сунула в рукав, откуда затем сначала выскочила левая рука. Затем нырнула правая, пробежала по спине и оказалась снаружи. Все. Обе руки легли на стол.

— Двадцать пять секунд, — сказала Сара. — Мама, новый рекорд! До сих пор самое быстрое было — тридцать шесть.

Дзюнпэй захлопал в ладоши:

— Прекрасно! Просто волшебство!

Сара постучала руками по столу. Саёко встала:

— Все, шоу окончено. Марш в постель!

Перед сном Сара поцеловала Дзюнпэя в щеку.

Убедившись, что Сара спит, Саёко вернулась в гостиную и села на диван.

— Должна тебе признаться. Я смухлевала.

— То есть?

— Я не надела лифчик обратно. Только сделала вид. Уронила его через рукав на пол.

— Какая жуткая мамаша, — рассмеялся Дзюнпэй.

— Ну а что тут такого — мне хотелось установить новый рекорд, — сощурилась Саёко. Давно она не улыбалась так естественно. Словно ветерок колыхнул оконные занавески, в Дзюнпэе сдвинулась временная ось. Он опустил ей руку на плечо, и Саёко прижалась к ней. Не вставая с дивана, они обвили друг друга руками, губы их слились в поцелуе. Дзюнпэй поймал себя на мысли, что с девятнадцати лет ровным счетом ничего не изменилось: губы Саёко по-прежнему отдавали нежным ароматом.

— Мы должны были поступить так с самого начала, — тихо сказала Саёко, когда они перебрались в постель. — Только ты этого не понимал. Ничего ты не понимал тогда. Пока из реки не исчезла вся рыба.

Они разделись и тихо обнялись. Неумелые ласки — будто юноша и девушка впервые в жизни познавали друг друга. Потратив немало времени, чтобы друг в друге убедиться, Дзюнпэй медленно вошел в нее, а она его приняла. Словно заманивая. Но он никак не мог поверить, что все это — взаправду. Будто он на ощупь шел в полумраке по безлюдному бесконечному мосту. Саёко подстраивалась под его каждое движение. Несколько раз Дзюнпэй хотел кончить, но удерживался. Боялся, кончит — и сон улетучится, а все вокруг — исчезнет.

Но тут где-то за спиной послышался легкий скрип: дверь в спальню приоткрылась, и прямо на их скомканную постель упал свет из коридора. Дзюнпэй приподнялся, обернулся и увидел в дверном проеме Сару. Саёко тихо ахнула и легонько оттолкнула его. Прикрыла грудь простыней и поправила волосы.

Но Сара не рыдала, истерику не закатывала. Она стояла, крепко держась за дверную ручку. И смотрела на них. И ничего не видела. Ее глаза вглядывались в какую-то пустоту.

— Сара, — тихо позвала ее Саёко.

— Дядька сказал мне прийти сюда, — монотонно произнесла Сара, будто ее вырвали из сна.

— Дядька? — переспросила Саёко.

— Дядька-землетряс, — сказала Сара. — Пришел дядька-землетряс, разбудил Сару и отправил сказать маме. Мол, открыл крышку короба для всех и жду. Говорит, скажи так, она поймет.

Той ночью Сара спала в постели Саёко. Дзюнпэй взял одно одеяло и завалился на диване в гостиной. Но уснуть никак не мог. Напротив дивана — телевизор. Какое-то время он слепо смотрел в его мертвый экран. Там — в глубине — *они*. Дзюнпэй это знает. Ждут, открыв крышку короба. По спине пробежал озноб. Дзюнпэй ждал, но ощущение не уходило.

Тогда он оставил попытки уснуть, пошел на кухню и приготовил кофе. Сидел и медленно тянул горькую жидкость, когда под ногой нащупал какой-то комок. Лифчик Саёко. Он так и валялся на полу. Подняв лифчик, Дзюнпэй повесил его на спинку стула. Без украшений, простой безжизненный белый предмет туалета. Совсем небольшого размера. Свисая со стула в предрассветном мраке, он казался анонимным свидетелем, затесавшимся из далекого прошлого.

Дзюнпэй вспомнил ту пору, когда только поступил в университет. Опять услышал голос Такацуки при их первой встрече: «Сходим куда-нибудь пообедаем». Такой теплый голос. На лице сияет улыбка старого друга, когда он видит знакомое лицо: «Эй, расслабься, мир раз за разом становится все лучше и лучше». Куда мы тогда пошли? Вот этого вспомнить Дзюнпэй уже не мог. Хотя какая разница...

— Почему ты позвал меня пообедать? — спросил тогда Дзюнпэй. Такацуки улыбнулся, уверенно постучал пальцами по вискам и сказал:

— У меня есть талант всегда и везде правильно находить себе друзей.

Такацуки не ошибался, подумал Дзюнпэй, разглядывая кофейную кружку. У него действительно был такой талант. Но только этого недостаточно. Находить себе хороших друзей и продолжать кого-то любить всю долгую жизнь — не одно и то же. Дзюнпэй закрыл глаза и задумался о прошедшем сквозь него времени. Не хотелось считать, что прошло это время совершенно бессмысленно.

Саёко проснется, и я сразу сделаю ей предложение, наконец решился он. Дзюнпэй больше не сомневался. Больше ни минуты не стану терять. Осторожно, чтобы не шуметь, он открыл дверь в спальню и посмотрел на закутавшихся в одеяло Саёко и Сару. Сара спала спиной к матери, Саёко слегка обнимала ее за плечо. Дзюнпэй потрогал распластанные по подушке волосы Саёко, провел пальцем по розовой щечке Сары. Обе они не шевелились. Дзюнпэй уселся на ковер сбоку от кровати, откинулся на стену и начал свою вахту.

Следя за стрелкой часов на стене, он придумывал для Сары продолжение истории. О Масакити и Тонкити. Первым делом нужно найти какой-нибудь выход из этой ситуации. Тонкити не должны за здорово живешь отправить в зоопарк. Его должен кто-нибудь спасти. Дзюнпэй мысленно пробежался от самого начала повествования, и вдруг ему пришла в голову идея. Цветочки дали плод, постепенно проступила конкретная форма.

Тонкити придумал печь пироги из меда Масакити. Немного потренировался и понял, что в нем дремал талант пекаря. А Масакити брал медовые пироги в город и там их продавал. Людям понравились медовые пироги, и они раскупали их молниеносно. Теперь Масакити и Тонкити не нужно было жить врозь. Они жили богато в своем лесу и оставались друзьями.

Саре обязательно понравится новый конец истории. Саёко тоже.

Напишу-ка я что-нибудь необычное, не похожее на то, что писал прежде, подумал Дзюнпэй. Историю о том, как ночью кто-то спит и во сне с нетерпением ждет, когда кончится ночь, чтобы скорее прижать к себе любимых людей в первых же лучах восходящего солнца. Но пока я должен сидеть здесь и стеречь сон двух женщин. Кто бы он ни был — я не позволю этому кому-то засунуть женщин в какой-то короб. Пускай даже небо упадет сверху, пускай с ревом расползется земля...

Содержание

Литературно-художественное издание

Харуки Мураками

ВСЕ БОЖЬИ ДЕТИ МОГУТ ТАНЦЕВАТЬ

Ответственный редактор *Н. Косьянова*
Редактор *М. Немцов*
Художественный редактор *А. Мусин*
Художник *А. Бондаренко*
Компьютерная верстка *К. Москалев*
Корректор *Е. Ворфоломеева*

ООО «Издательство «Эксмо»
127299, Москва, ул. Клары Цеткин, д. 18, корп. 5. Тел.: 411-68-86, 956-39-21.
Home page: www.eksmo.ru   E-mail: info@ eksmo.ru
По вопросам размещения рекламы в книгах издательства «Эксмо»
обращаться в рекламный отдел. Тел. 411-68-74.

Оптовая торговля книгами «Эксмо» и товарами «Эксмо-канц»:
109472, Москва, ул. Академика Скрябина, д. 21, этаж 2.
Тел./факс: (095) 378-84-74, 378-82-61, 745-89-16.
Многоканальный тел. 411-50-74. **E-mail: reception@eksmo-sale.ru**
Мелкооптовая торговля книгами «Эксмо» и товарами «Эксмо-канц»:
117192, Москва, Мичуринский пр-т, д. 12/1. Тел./факс: (095) 932-74-71.
127254, Москва, ул. Добролюбова, д. 2. Тел.: (095) 745-89-15, 780-58-34.
www.eksmo-kanc.ru   e-mail: kanc@eksmo-sale.ru

Полный ассортимент продукции издательства «Эксмо» в Москве
в сети магазинов «Новый книжный»:
Центральный магазин — Москва, Сухаревская пл., 12
(м. «Сухаревская»,ТЦ «Садовая галерея»). Тел. 937-85-81.
Информация о других магазинах «Новый книжный» по тел. 780-58-81.

ООО Дистрибьюторский центр «ЭКСМО-УКРАИНА».
Киев, ул. Луговая, д. 9. Тел. (044) 531-42-54, факс 419-97-49;
e-mail: **sale@eksmo.com.ua**

Полный ассортимент книг издательства «Эксмо» в Санкт-Петербурге:
РДЦ СЗКО, Санкт-Петербург, пр-т Обуховской Обороны, д. 84Е.
Тел. отдела реализации (812) 265-44-80/81/82/83.

Сеть книжных магазинов «Буквоед»:
«Книжный супермаркет» на Загородном, д. 35. Тел. (812) 312-67-34
и «Магазин на Невском», д. 13. Тел. (812) 310-22-44.

Сеть магазинов «Книжный клуб «СНАРК»
представляет самый широкий ассортимент книг издательства «Эксмо».
Информация о магазинах и книгах в Санкт-Петербурге по тел. 050.

Подписано в печать с готовых диапозитивов 20.07.2004.
Формат 84х108 $^1/_{32}$. Печать офсетная. Бум. тип. Усл. печ. л. 8,4.
Тираж 85 000 экз. Заказ 832

ОАО «Тверской полиграфический комбинат»
170024, г. Тверь, пр-т Ленина, 5. Телефон: (0822) 44-42-15
Интернет/Home page - www.tverpk.ru Электронная почта (E-mail) - sales@tverpk.ru